Le pont
de cristal

Marjolaine Caron

Le pont de cristal

3e volet de la trilogie de *Joshua*

Éditions Marjolaine Caron

© Le Pont de Cristal
Tous droits de reproduction, de traduction et
d'adaptation réservés pour tous pays.

ISBN : 978-2-9807446-3-1

Dépôt légal : quatrième trimestre 2008
Bibliothèque nationale du Québec
Bibliothèque nationale du Canada
Première édition

Graphisme et infographie : Christian Morency
Photographie de l'auteur : Georges Dutil
Impression : Imprimeries Transcontinental
Révision : Robert Bourbonnière

Production du disque compact : Marjolaine Caron
Enregistrement : Studio Peak, Montréal, Qc.
Composition musicale : Robert Bourbonnière
Interprétation : Violon - Claude Gélineau
                  Violoncelle - Guillermo Siméon
                  Piano - Robert Bourbonnière

Marjolaine Caron, éditeur
Site internet : www.marjolainecaron.com
Adresse courriel : caronm@abacom.com

Distribution : Consulter le site internet de l'éditeur
                www.marjolainecaron.com

Imprimé au Canada

À Florence et Marilou

Remerciements

Une famille d'âmes s'est formée autour de moi pour me permettre de vous livrer cet ouvrage littéraire et musical. Je tiens à remercier chaque membre de cette grande famille.

Merci,

À Robert Bourbonnière, pour cette générosité avec laquelle tu m'as offert ces douze magnifiques compositions, sans même savoir qu'elles feraient partie un jour de cette publication. Le partage de nos inspirations a stimulé ma plume et nourri la messagère en moi. Merci également pour ton soutien littéraire. Grâce à toi, la révision, la correction et le peaufinage de mon écriture rendent ce livre plus lumineux. Pour tout l'amour que tu as insufflé dans ce projet, merci de tout cœur. Pour m'avoir aidée à traverser les passages étroits de la solitude du créateur, simplement en me rappelant que je n'étais jamais seule... merci infiniment !

À Christian Morency, toi qui, dans le calme et la confiance, habille le nouveau-né et lui donne fière allure, par ton talent de graphiste. Pour le soutien moral, l'écoute et l'accompagnement jusqu'à la dernière ligne. Le cadeau de cette 3e collaboration littéraire est celui de notre amitié. Merci, Christian.

À Philippe Allard, Michel Labrecque et Mathieu Lacourse de chez Studio Peak. Merci les gars pour votre ouverture d'esprit, votre professionnalisme et tout le cœur que vous avez mis à enregistrer cet album de musique et lui donner le son qu'elle mérite... la pureté !

À Guillermo Siméon et Claude Gélineau, mes « Anges de la Traversée » qui avez fait vibrer vos cordes dans le plus grand respect de la création du compositeur. Merci pour avoir mis toute votre âme dans l'interprétation sublime que vous en avez faite.

À Constance Morrissette, mon amie depuis 35 ans ! Pour avoir vécu sous mon toit pendant que je traversais les étapes de la guérison à travers l'écriture. Pour ce regard d'admiration à travers tes larmes lorsque tu lisais quelques passages de mon manuscrit. Ton humour a été ma vitamine de tous les jours. Merci de tout cœur.

À mes amies Sylvie Petitpas, Louise Guillot, Hélène Drainville, Céline Gosselin qui m'avez soutenue dans les grands changements dans ma vie personnelle et qui, sans relâche, m'avez encouragée à continuer d'écrire. Merci de votre patience, votre confiance et votre amitié.

Pour mes enfants, Charles-André et Alexandre. Pour Patricia, ma belle-fille et pour Danaëlle, sa fille. Pour Florence et Marilou, mes petites-filles adorées... je remercie Dieu pour cette grande récolte de tant d'amour !

Merci la Vie !

Introduction

Chères lectrices,
Chers lecteurs,

Ce livre a commencé à s'écrire en août 2007, alors que je traversais le fleuve St-Laurent, de St-Siméon de Charlevoix à Rivière-du-Loup, pour rejoindre la mer gaspésienne. L'inspiration fut au rendez-vous durant les deux semaines qui suivirent, puis après, le néant...

À mon insu, ma propre traversée s'amorçait. L'année qui suivit m'invitait à cette rencontre ultime avec la partie souffrante bien cachée au fond de moi. De la solitude à l'isolement, j'ai rencontré cette partie malade qui réclamait toute mon attention, tout l'amour que je Me devais. J'ai choisi de me soigner. Je renais aujourd'hui, en vous livrant l'ultime cadeau que j'ai reçu... celui de l'Amour !

L'Amour de Soi, l'amour de la musique, l'amour de nos proches du ciel et de la terre, nous invite ici à danser avec la vie ! Fidèle à ma mission de messagère, j'ai bien entendu vos enfants, vos parents et vos amis de l'au-delà, me souffler à l'oreille cette chanson de notre enfance : « ... prête-moi ta plume, pour lui écrire un mot ».

Sans hésiter, j'ai ouvert mon canal à ces voix lumineuses. Les Anges de la traversée se sont mis de la partie. Ils ont placé sur ma route un grand musicien, un compositeur dans l'âme, qui a reçu, sans le savoir, l'inspiration des 12 Lumières sur le Pont de Cristal. Cette musique de Robert Bourbonnière a contribué à ma guérison... corps, âme, esprit. Je l'ai reçu comme un cadeau précieux que je partage avec vous.

Robert et moi, remercions sans cesse la Vie de nous avoir choisis pour vous livrer ses messages sur une musique céleste. À travers les vibrations de ce langage universel, j'ai entendu une autre voix qui me disait : « ...ouvre-Moi ta porte, pour recevoir l'amour de Dieu ». À partir de ce jour-là, les mots et les notes ont commencé à valser dans nos coeurs ! Nous vous invitons avec une grande joie à l'heureux mariage d'un livre et de sa musique.

Dans la paix, la joie et l'amour...

Bonne lecture !

Marjolaine

CINQUIÈME CYCLE

La renaissance

chapítre un

Le Retour

S illonnant la route de la Vallée de la Matapédia, Émilie amenait sa petite famille à Port Daniel, là où leur amour avait pris racine huit ans plus tôt. Sommeillant paisiblement à l'arrière, les enfants offraient à leur père un moment de silence essentiel à sa convalescence. L'homme transformé par ce voyage de l'autre côté de la vie suivait du regard le courant de cette puissante rivière qui allait se jeter à corps perdu dans les bras du majestueux fleuve St-Laurent.

À la sortie du coma, Joshua avait dû accepter patiemment d'être cloué sur son lit d'hôpital pendant deux interminables semaines. Rapatrier son corps, ses mémoires, ses sens, ses sentiments et surtout raccorder tout son être à cette nouvelle vibration devenaient une tâche colossale, une discipline de chaque instant à tous les niveaux, particulièrement au plan émotionnel.

Jamais de sa vie le petit Roi n'avait autant pleuré. Il pouvait s'effondrer en larmes simplement à la vue de la petite Éloïse se plissant les yeux en se maquillant le bout du nez d'un pissenlit ! Autant la beauté d'une scène aussi candide que l'horreur de la guerre au bulletin des nouvelles pouvaient déclencher en lui une avalanche de sanglots incontrôlables. À cet instant même où son regard pourchassait le courant de la rivière, Joshua sentit à nouveau monter en lui un flot d'émotions, toujours sans raison apparente, comme si son âme dépressive baignait dans une mer de tristesse.

Tentant de retenir le flot des larmes, il ferma les yeux et laissa son esprit s'adresser à Jésus : « Maître, mais pourquoi est-ce que je pleure toujours comme ça ? Qu'est-ce qui m'arrive ? » Une voix chaude lui glissa doucement à l'oreille : « c'est que tu nais Joshua... tu nais ! »

Une grande secousse l'ébranla une fois de plus. La voix porteuse de compassion et d'amour infini le bouleversait encore davantage que lors de leur rencontre dans l'autre monde. Le souvenir de cette communion avec l'énergie christique lui rendait le retour terriblement pénible. Une question revenait sans cesse le hanter : « Arriverai-je un jour à réintégrer ce corps, à me souvenir, à retrouver mon équilibre ? »

Émilie aussi s'inquiétait de la réadaptation de Joshua depuis son retour à la vie et à la maison. Leur communication jadis si saine et si fluide s'en trouvait réduite à de timides regards affectueux, à des larmes et à des soupirs. Son amoureux semblait maintenant coupé de ses sens, de ses désirs. Émilie s'ennuyait profondément de leurs longs et doux baisers, des caresses, de la tendresse et de l'amour de Joshua, de la parfaite harmonie de son corps épousant le sien. Elle ressentait parfois ce sentiment cruel et glacial de l'avoir perdu encore davantage que s'il était mort.

En le voyant s'effondrer en larmes une fois de plus, Émilie posa doucement sa main sur le genou de Joshua :

— Ça va mon amour ? Tu veux qu'on s'arrête ? Un peu d'air te ferait peut-être du bien ?

La main en visière comme pour cacher sa honte d'être si sensible et vulnérable, il balança lourdement la tête.

— Non, non... ça va, continuons Émilie... un jour je pourrai mettre en mots ce que je ressens, mais, à date je n'y arrive pas. Je te demande d'être patiente et de ne pas t'inquiéter. Je te reviendrai... je te le promets. Donne-moi juste encore un peu de temps. Tu veux bien ?

C'était maintenant au tour d'Émilie de chercher la route à travers ses larmes : « Mon Dieu aidez-nous, aidez

Joshua à redevenir l'homme que j'ai connu, l'homme que j'aime tant. Aidez-moi à l'attendre. » suppliait-elle.

Les bâillements de William les ramenèrent doucement au quotidien. Séchant leurs larmes, Émilie et son mari échangèrent un sourire... un sourire d'espoir, d'amour profond. Joshua était conscient de toutes les programmations de peurs et de chagrins qui s'étaient enregistrées dans la mémoire psychologique de leurs enfants. Sa raison venait parfois lui faire croire qu'il était responsable des séquelles du traumatisme causé par ce triste évènement. Il connaissait la fragilité de la petite enfance et il savait combien marquants peuvent être les chocs et les drames à la ligne de départ de nos chemins de vie.

On aurait cru que William recevait directement la pensée de son père et qu'il revenait du pays des rêves expressément pour le sortir de cette zone ténébreuse et destructrice qu'est la culpabilité. Voilà qu'il lance :

— Papa, j'ai rêvé que tu avais acheté un avion juste pour toi et moi et que dans le ciel tu m'avais dit: « Prends les commandes William parce que, moi, je ne me souviens plus comment piloter ». Et moi j'étais très content, mais je ne savais pas comment faire pour voler. Alors j'ai pris les commandes et toi, tu m'as tout expliqué... tout, tout.

Songeur, le jeune pilote ajouta :

— Mais comment ça se fait que tu ne te rappelais pas comment piloter ton avion et que tu pouvais me dire comment faire ?

Joshua se retourna pour contempler les yeux à la fois émerveillés et intrigués de son fils qui, sans le savoir, répondait à la question qu'il venait tout juste de poser au Maître : « Arriverai-je un jour à réintégrer mon corps, à me souvenir, à retrouver mon équilibre ? »

À travers le rêve de William, il recevait la réponse : « Ce qui te manque, donne-le. Enseigne au plus petit que toi à voler toujours plus haut. Tu manques d'amour ? Aime le prisonnier qui en est privé. Tu manques de foi ? Dis : « je crois en Toi » à celui qui manque de confiance en lui. Tu manques du nécessaire ? Donne au mendiant ton dernier morceau de pain et laisse-Moi remplir ta corbeille. »

Joshua répondit à son fils :

— Parce que c'est en t'apprenant à voler que je me suis souvenu, mon garçon. C'est en t'enseignant les manœuvres que je me suis rappelé comment piloter mon avion.

Deux grosses larmes ruisselaient le long des joues pâles et amaigries de Joshua.

— Pourquoi tu pleures encore papa ?
— Parce que je vous aime tellement...
— Ah bon ! C'est si triste de nous aimer ? Moi je t'aime et ça ne me fait pas pleurer... peut-être parce que je suis trop petit pour avoir le cœur si gros !

L'éclat de rire retentissant d'Émilie et de Joshua réveilla Laurie et Éloïse qui rentraient elles aussi d'un voyage céleste au pays des Fées.

Le regard de Joshua se fondait maintenant dans les eaux du fleuve. Suivant le courant, ses pensées déferlaient dans son esprit.

« Rien ne se perd... » se dit-il... « tout se transforme. Voilà où j'en suis. Impossible de rebrousser chemin, de chercher à redevenir celui que j'étais avant d'élargir le flot de ma conscience, car le fleuve ne peut faire marche arrière. Il n'a qu'une seule destinée... la mer. »

Il pensa à Émilie : « Nous avons suivi le courant de nos rivières respectives. Nos cours d'eaux se sont réunis en un seul fleuve et nous rentrons maintenant ensemble à la mer. Je dois revenir sur terre, rapatrier mon corps, ma vie, ici. Dieu, que c'est difficile ! » Au même moment, Émilie coupait le moteur de la voiture et lui dit : « Nous sommes arrivés à la mer chéri. » Joshua souleva ses lourdes paupières en murmurant : « Ouais... nous sommes arrivés à la mer. »

Il caressa tendrement la joue chaude de sa bien-aimée. Il posa doucement sa main affaiblie sur la nuque d'Émilie, attira son visage vers le sien et embrassa tendrement ses lèvres charnues. Ce tendre baiser, ce baiser dont elle rêvait depuis des mois la combla de bonheur. Enfin, il lui revenait... tranquillement.

De la véranda, Mathilde et Philippe s'élancèrent vers la voiture pour accueillir la petite famille. Toutefois, ils retinrent leur élan lorsqu'ils virent la vague d'amour qui berçait les parents. William et Laurie n'en firent aucun cas et se précipitèrent les bras tendus vers les grands-parents en s'écriant :

— Grand-maman, grand-Philippe ! Ouais, ouais, on est là !

Une fois bisous et câlins échangés, Mathilde s'avança lentement vers son fils qu'Émilie aidait à sortir de la voiture. De son pas incertain, de ses mouvements maladroits, lui qui jadis jouissait de tant de grâce et de souplesse, le petit Roi s'avança, chancelant. Il s'arrêta à quelques pas de Mathilde. La même scène se déroulait simultanément dans leurs esprits, celle, où dans ce parc, l'enfant couvert de sang s'était écroulé dans les bras de Mathilde.

Ce même enfant vivant maintenant dans un corps d'homme s'abandonnait sur l'épaule de sa mère qui chuchotait à son oreille les mêmes mots... : « Je suis là mon ange, je serai toujours là pour toi. » Joshua, épuisé, ne trouvait plus la force de pleurer... Mathilde le fit pour lui. Moment de grâce et de bénédiction. Silence sacré.

Soutenu de chaque côté par ces deux femmes si grandes et si fortes, l'homme affaibli avait l'impression que deux anges le ramenaient dans son corps, à la terre. Une sensation de déjà vu, de déjà vécu, l'encouragea à s'appuyer sur ces rampes solides qui s'offraient à lui : « L'humilité... quelle vertu ! Accepter mes faiblesses et mon impuissance, accueillir le soutien... quelle leçon de vie ! » se dit-il.

Philippe, ému par cette scène touchante, rejoignit Émilie pour entourer ses épaules de son bras réconfortant, l'invitant à déposer sa tête fatiguée sur son cœur. Suivant les voix claironnantes des enfants et entourée des bras paternels de Philippe, Émilie ressentit la présence de son papa veillant sur sa petite fille épuisée.

Ce contact lui fit prendre conscience de l'immense fatigue accumulée depuis des mois. Ce refuge devenait pour elle aussi une plage de repos. L'énergie de la mer se chargerait de la bercer, de la soigner.

Autour de Philippe, les trois soleils de sa vie sautillaient, criaient de joie, parlaient tous en même temps, heureux de ce séjour au bord de la mer avec grand-Philippe et grand-maman. Joshua et Émilie profiteraient aussi de cette énergie curative. Tous réunis sur la véranda, ils levèrent leur coupe de champagne à la vie, à l'amour, au retour de Joshua.

chapítre deux
Une révélation libératrice

L a réhabilitation de Joshua et d'Émilie exigeait qu'ils
prennent une pause durant tout l'été. Les grands-
parents se feraient une joie de les accueillir à Port Daniel
et de s'occuper des enfants, pendant que la petite Éloïse,
encore nourrisson, recevrait tous les soins de sa maman.
De leur côté, William et Laurie jouiraient des attentions
des grands-parents, sans compter qu'ils seraient animés
d'une foule d'activités à chaque jour.

Conscient de la puissance de l'énergie transmise par le canal de la petite, Joshua savait aussi à quel
point il était important de l'envelopper de son amour
paternel. Le danger d'entrer en symbiose était bien
présent et Joshua resterait vigilant afin d'éviter cette
fusion. Cet enfant aux grands yeux ronds comme des
billes couleur d'ébène vous regardait droit dans l'âme.

Elle semblait se souvenir parfaitement de ce qu'elle était venue faire ici, en parfaite harmonie avec le plan de son incarnation. Elle n'avait que six mois lorsque Joshua lui demanda : « D'où viens-tu petite Éloïse ? Où vivais-tu avant ? » Pour toute réponse, elle bascula allègrement la tête vers le ciel en souriant aux anges ! Émilie lui posa à nouveau la question et, à leur grande surprise, elle répéta le même geste.

Ce jour-là, Philippe proposa aux enfants un voyage en haute mer pour rendre visite à nos amies les baleines. Fous de joie, William et sa petite sœur accoururent annoncer la bonne nouvelle aux parents. Témoin du bonheur de ses enfants, Joshua se revoyait petit garçon lorsque Laurie sa maman, lançait spontanément un projet d'escapade au bout du monde. Ces belles folies lui avaient tant manqué. Mathilde était une mère prévenante, prudente, organisée et il lui fallait tout planifier longtemps à l'avance, tandis que Philippe, dans son élan et sa passion pour les surprises, faisait vivre aux enfants ces moments magiques de la vie.

—Alors, mes amours, ce soir on se couche très tôt car demain matin au lever du jour grand-Philippe viendra vous bécoter et hop là !... tout le monde debout... Vous devrez répondre : « Oui mon capitaine ! », avec votre plus beau salut de matelot. D'accord ?

— Tape là d'dans, s'écria William les yeux brillants d'excitation.

Contrairement à son frère, Laurie affichait un air inquiet.

— Qu'est-ce qu'il y a ma chérie ? lui demanda Mathilde.

— Je ne veux pas aller sur le gros bateau... je n'aime pas ça, les gros gros bateaux.

Mathilde la prit dans ses bras et, tentant de la rassurer, s'aperçut que la petite tremblait de tous ses membres. Inquiète, elle regarda Philippe qui s'approcha aussitôt. Il déposa sa main sur la tête de l'enfant qui se mit à hurler. Joshua accourut, la prit dans ses bras pour constater que la petite était en état de panique.

— Chuuuut... doucement mon ange... on est tous là... n'aie pas peur. Personne ne te forcera à monter à bord du gros bateau mon amour. Allez...chuuuut. C'est fini.

Émilie qui s'était endormie en allaitant fut réveillée brusquement par les pleurs de Laurie. Elle se précipita au salon :

— Mais qu'est-ce qu'il y a mon lapin ? Qu'est-ce qui te fait peur comme ça ?

Joshua tenait sur ses genoux sa petite fille qui fixait William droit dans les yeux.

— Tu t'en souviens pas Willie ?

Le grand frère sidéré ne comprenait rien au comportement de sa sœur ; il avait peine à la reconnaître.

— Quoi, Laurie ? On dirait que ce n'est pas toi qui parles. Maman, ça me fait peur.

Joshua avait vite fait de comprendre que Laurie était sur le point de révéler un épisode marquant d'une vie antérieure en lien avec les navires, la mer et son frère William.

— Émilie, je crois que tout le monde est fatigué maintenant.

D'un petit signe de tête, il lui fit signe d'amener William au lit, signalant du même coup aux grands-parents de le laisser seul avec Laurie, qui fixait maintenant la fenêtre ronde au-dessus de la porte d'entrée.

— Tu veux me raconter ce que tu vois mon ange ? Papa est là, n'aies pas peur. Dis-moi de quoi tu te souviens ma puce.

Son esprit visiblement ailleurs semblait voir un film se dérouler dans sa petite tête, un film qu'elle ne pourrait pas regarder seule. Mais elle se sentait en sécurité sur les genoux de son papa. Pointant vers la fenêtre, elle commença :

— Ça c'est un hublot et si le bateau coule, le hublot, il éclate et on meurt à cause de toute l'eau qui rentre. William me tient dans ses bras et il essaie de nager vers le haut, mais je suis trop lourde. William c'est mon héros, mon champion, mais il ne sait pas très bien nager et à cause de moi, il est mort. Le bateau, il est très gros et il y a beaucoup de nourriture, plein de monde et les gens portent des beaux habits, avec des grands chapeaux et des bijoux. Ils rient, ils font la fête. Mais là, le gros bateau vient de frapper quelque chose qui l'a brisé. Je cherche mon papa, ma maman... j'ai peur.

La petite recommençait à trembler. Joshua, lui massant le dos d'une main, tenait son petit cœur dans l'autre.

— Doucement ma chérie, je suis là, maman est auprès de William, c'est fini... on est tous en sécurité maintenant. Tu es une petite fille très courageuse Laurie. On va regarder ton film ensemble jusqu'au bout. Souviens-toi que tu es ici, maintenant, vivante et en sécurité.

Dans sa grande sagesse et son ouverture sans frontière, Joshua guidait sa petite fille tout naturellement dans ce processus de régression.

Elle continua :

— William, c'est mon frère jumeau et il n'a peur de rien. Il veut encore aller sur les gros bateaux. Il ne se souvient pas qu'on est morts noyés.

Joshua, touché et ébranlé par cette tragédie vécue par ses deux enfants, fit vite de se ressaisir. Il lui fallait tenir son rôle de guide, évitant ainsi à tout prix d'entrer dans les émotions que ces souvenirs éveillaient en lui. Il devait se concentrer sur la guérison de Laurie afin de l'amener à transcender sa peur de la mer et des navires. Remarquant que Laurie parlait au présent, il réalisa qu'elle était entrée littéralement dans les mémoires de cette vie, de cette mort et de celle de son frère. Le calme avait regagné son corps et Joshua l'encouragea à poursuivre son récit :

— Dis-moi Laurie, quel âge as-tu ?
— 12 ans et William, il est né 7 minutes avant moi.
— En quelle année sommes-nous ?
— En 1914... et c'est le printemps.
— Et que faites-vous sur ce bateau ?
— Nous allons visiter nos grands-parents en Angleterre. Presque tout le monde parle anglais sur le bateau. Aussi, il y a des enfants de notre âge avec qui on s'amuse Willie et moi.
— Est-ce qu'il a un nom le bateau ?

Laurie semblait chercher à déchiffrer un nom. Les yeux plissés, elle grimaçait pour finalement soupirer :

— Je ne suis pas capable de lire le nom qui est écrit sur le bateau papa.

— C'est pas grave ma chérie, c'est pas grave.

Joshua avait déjà deviné qu'il s'agissait du naufrage de l'Empress of Ireland, qui avait coulé en moins de 15 minutes à Pointe au Père, près de Rimouski. C'était le 29 mai 1914... Aux yeux de Joshua, cette régression était une grâce pour Laurie. Elle lui permettrait de surmonter sa phobie des bateaux et de rééquilibrer sa relation avec son frère. Depuis sa naissance, Laurie vouait un culte à William. Elle vivait dans son ombre et dans l'incapacité de se défendre contre lui, lui donnant ainsi tous les droits sur elle, comme si elle avait une dette karmique envers lui. Elle n'existait qu'à travers le regard de son héros. Chaque fois qu'ils se querellaient elle finissait toujours en lui disant : « C'est pas ta faute Willie, excuse-moi je ne voulais pas te faire de mal. C'est ma faute. Tu es le meilleur. Excuse-moi, excuse-moi. »

Le cœur d'Émilie se fendait chaque fois qu'elle l'entendait s'excuser ainsi à son frère qui profitait naturellement du pouvoir que sa petite sœur vulnérable lui conférait. Voilà que tout s'expliquait. Attendri par la fragilité de Laurie, Joshua appuya contre son cœur la tête de l'enfant. Il lui dit doucement à l'oreille :

— Chérie, écoute-moi bien... c'est pas ta faute, c'est pas ta faute, c'est pas ta faute. Tu entends ? Tu étais trop petite pour pouvoir te sauver et sauver ton frère, tu vois ? Tu es ma championne Laurie. Vous êtes en sécurité maintenant, il n'y a plus de danger. La Lumière vous a emportés dans une nouvelle vie et maman et papa sont là pour vous protéger. Et si tu ne veux pas retourner sur le bateau, c'est correct mon ange.

Posant sa main droite sur son front et l'autre sur son cœur, il dit:

— Tranquillement, doucement, la mémoire de cette vie et de cette mort s'efface, se dissout, disparaît. Elle n'existe plus. Tu existes. Tu es ici, maintenant, vivante et en sécurité.

La petite s'était endormie sur les paroles réconfortantes de son papa. Joshua soignait ainsi la blessure profonde à l'âme de Laurie. Tendrement, il déposa le petit corps épuisé dans le lit douillet, la bénissant. Il demanda à grand-maman Laurie de veiller sur sa petite-fille tout au long de sa vie. Lorsque Joshua sortit sur la véranda, chacun braqua un regard inquisiteur sur lui mais personne n'osa l'interpeller. Autour de lui, une aura dorée invitait au plus grand respect. Émilie se leva, noua ses bras frissonnants autour du cou de Joshua, lui chuchotant d'une voix presque inaudible : « Merci ! ». Elle lui prépara ensuite un thé vert et, d'un accord silencieux, tous respectèrent ce moment de silence et de recueillement. Il venait de se passer quelque chose à la fois de grand et de tout petit.

Tout naturellement, Joshua leur livra ces enseignements inspirés de la Source :

— Petit, dans le sens qu'une mémoire comme celle qui vient de se manifester à l'esprit de Laurie, comparativement aux milliers de mémoires qui dorment dans la bibliothèque des archives de nos vies, est de la taille d'un grain de sable dans le désert. L'immensité que nous portons en nous est celle de l'Univers. Ces mémoires vivantes s'animent, s'éteignent, naissent, meurent. Nous repassons aux mêmes endroits, côtoyons les mêmes âmes, refaisons les mêmes expériences vie après vie et pourtant rien ne se répète, tout se joue différemment à chaque fois car tout est en constant mouvement d'évolution. C'est pour cela qu'il est inutile de se presser, de regretter, d'avoir peur d'échouer, de s'inquiéter. Comme la goutte d'eau se rend inévitablement jusqu'à la mer à partir de la cime des montagnes, le "haut", elle coule naturellement vers le "bas", le sol à nourrir. D'où l'importance d'accueillir notre incarnation vers le bas, le plan humain, alimentée par le haut, le Divin, en honorant nos parties d'ombres autant que nos parties de Lumière. Si le soleil brillait sans cesse 24 heures sur 24, 365 jours par année, il n'existerait pas de vie sur cette terre. La création entière est parfaite. Nous sommes les seules créatures de la terre ayant la liberté de choisir notre trajectoire et notre vitesse de croisière. Toutes les autres créatures appartiennent à des cycles naturels et glissent dans les sillons déjà tracés pour eux. Mais nous, nous avons ce privilège, ce cadeau divin qu'est le libre arbitre. Notre jardin intérieur a besoin du jardinier afin de soigner la fleur que nous sommes. Enrichir la terre, désherber, enchausser, arroser, ensoleiller ne peut se faire en une seule fois pour toutes. À chaque saison, un nouveau cycle s'installe et la nature fait son travail. C'est l'affaire de chaque instant, de toute une vie. Entretenir l'âme dans un corps et un esprit sains, voilà la tâche de notre Jardinier intérieur... celle de cultiver l'amour en nous.

Tout s'était déroulé de façon si fluide que personne n'avait encore réalisé que ces enseignements étaient ceux que Joshua ramenait de l'autre côté de la vie. Émilie se retrouvait davantage devant un Sage inconnu que devant l'homme avec qui elle partageait sa vie. Un malaise soudain l'envahit, lorsqu'à son insu, une question se pointa à son esprit : « Mais, où est Joshua ? Où est l'humain que j'ai épousé ? » Absent, Joshua ferma les yeux et tout naturellement, il canalisa le message des douze guides de Lumière.

— Vous êtes à nos yeux des Êtres de Lumière comme vous dites de Nous. La seule différence est que vous ne savez pas encore qui vous êtes et comment utiliser cette énergie. Pour que votre Lumière puisse se frayer un chemin et accomplir sa mission vous devez savoir l'alimenter, l'entretenir, la recharger. Vous comprenez ? Mais vous êtes devenus des êtres si préoccupés, si déconnectés, si avides de pouvoir, une société en guerre contre elle-même, en voie d'autodestruction. Pourtant, si toutes ces Lumières en vous s'animaient et que les

consciences se donnaient la main, la terre pourrait se refaire une santé, éviter le pire. C'est le but de notre intervention auprès de vous. Sauver cette planète par le biais
de votre conscience et de votre volonté.

Après un long silence, la voix reprit :

— Vous qui avez le don de contacter les mondes de
l'invisible, sachez que vous recevez du même coup tout
ce dont vous avez besoin pour ouvrir votre canal et pour
servir la Lumière. Votre capacité à respecter vos propres
frontières n'appartient qu'à vous. Il est faux de croire
que vous n'avez pas le choix et que nous prenons, sans
votre permission, possession de votre esprit et de votre
corps pour nous manifester à la terre. S'il en est ainsi,
c'est que vous n'avez pas encore votre « maîtrise » pour
pratiquer de telles communications et que vous permet-
tez à ces formes de pensées et de présences indésirables
de vous habiter. Rapatriez vos pouvoirs, soyez centrés et
posez vos frontières. Servez-vous de nos messages pour
vous réunir et partager sur ce que vous avez l'intention
de faire pour venir en aide à la Terre et aux humains.
Vous êtes bénis !

Sur ces dernières paroles, le messager se leva, monta
à sa chambre et revint en déposant sur la table un recueil
de 32 messages qu'il avait rapportés de l'autre côté de la
vie[1].

----

1 • « Les Messages de Joshua » éditions Marjolaine Caron

— Voila, ces messages m'ont été livrés au cours de mon passage dans la lumière. Ils sont pour vous, de la part de vos Anges, de vos Guides et de vos proches défunts, mais principalement, ils viennent de la Source en vous, de votre âme. Puissent-ils vous servir de carte routière au quotidien, de boussole et de phare dans votre chemin d'évolution.

Puis, Joshua embrassa Émilie et tira sa révérence pour monter silencieusement se reposer. Le lendemain matin, deux petits matelots se dressaient fièrement au garde à vous devant grand-Philippe, entonnant à pleins poumons un joyeux : « Oui mon Capitaine ! »

chapitre trois
La tempête

Sept semaines s'étaient écoulées depuis le retour de la petite famille à Port Daniel. Émilie se sentait crouler sous le poids d'une adaptation devenue insoutenable. L'attention de tous et chacun se dirigeait constamment vers Joshua. Ce Joshua qu'elle ne connaissait plus, cet homme dont elle faisait le deuil un peu plus à chaque jour en accumulant colère, frustration, chagrin et désespoir.

En elle mourait étouffée la femme, l'amoureuse, la complice de celui qu'elle craignait ne plus jamais retrouver. Joshua, suspendu entre ciel et terre, se trouvait en constante communication avec l'invisible.

Depuis le jour où ce coup de feu lui avait pris l'homme de sa vie, Émilie n'avait cessé de répondre aux besoins de tous. Pour survivre, elle devait assumer le rôle de « sauveur ». La seule lueur d'espoir tenait au bout des trois mois qui devaient remettre Joshua sur pied et leur vie à l'endroit.

Ce soir-là, le couple silencieux se réchauffait au feu de camp allumé sur la plage. Émilie avait intentionnellement consommé plus de vin qu'à l'habitude, espérant y puiser le courage d'ouvrir son cœur et de tenter de rejoindre ne serait-ce qu'une partie de celui qu'elle avait épousé et avec qui elle avait conçu trois enfants merveilleux, maintenant en deuil de leur père absent d'esprit.

Joshua sentait le vent se lever pendant que le toit du monde descendait lentement sur eux. Une lourdeur pesait depuis quelques temps sur la maison de Philippe, une atmosphère fébrile que tous pouvaient ressentir mais que seule Émilie pouvait nommer.

Jusqu'ici, elle avait fait preuve de compassion, de patience et d'amour sans borne envers Joshua. Malheureusement, elle avait négligé de s'accorder avant tout ces mêmes attentions ; elle s'était complètement effacée, oubliée... elle n'existait plus. La mère, la nourrice, la thérapeute et l'épouse formaient une armée sur le point d'exécuter la femme en elle... L'essence de la vie ne coulait plus dans ses veines. L'amour mourait à petit feu... celui envers Joshua, mais pire encore, celui envers elle-même.

Retournant dans son esprit mille et une phrases pour briser la glace, Émilie se retrouvait maintenant au bord des larmes, comme si elle cherchait désespérément la pièce manquante du casse-tête pour reconstituer le portrait de famille, avant même d'avoir réussi à rassembler les morceaux de sa vie. Joshua se tourna vers elle, croyant l'avoir entendu soupirer. La tête appuyée au dossier de la chaise, les yeux clos, elle se mordillait les lèvres, tentant de cacher sa peur de voir venir la fin... la fin d'une si belle histoire d'amour que la vie après la mort lui enlevait sournoisement.

« Mais mon amour, qu'est-ce qui se passe? » demanda Joshua, inquiet. Il s'approcha pour déposer sa main sur l'épaule d'Émilie. Un cri strident, court et sec imposa sa défense. Il recula, ébahi! Il n'en fallut pas plus pour qu'Émilie éclate en sanglots. Elle s'en voulait. Elle aurait voulu pouvoir s'exprimer sans perdre la maîtrise de ses émotions. Des larmes, encore des larmes : depuis l'attentat, elle avait l'impression que c'est tout ce qu'ils avaient échangé, des larmes !

Elle enfila la dernière gorgée de vin, sécha son visage du revers de sa manche et secoua la tête pour que les mots s'alignent dans son esprit. Elle fixa Joshua droit dans les yeux. Les sourcils froncés, les lèvres tremblantes, la gorge nouée, elle réussit enfin à exprimer son désarroi.

— Je suis en train de mourir. Je ne peux plus vivre avec cette partie de toi que je ne connais pas. Tu n'es pas revenu Joshua. Ce n'est pas toi qui habites ce corps.

L'homme fixait le feu ardent et crépitant, incapable de supporter le regard furieux de sa bien-aimé... Elle continua :

— Je n'en peux plus de t'entendre parler de l'au-delà, de la lumière, des Maîtres, des messages, de l'invisible, des vies antérieures... tu vois ? Je vis ici, moi, dans un corps épuisé, avec trois enfants que je nourris, que je soigne, que je protège, que j'aime. Trois êtres qui me tiennent enracinée. Trois petits bouts de chou qui, eux non plus, ne reconnaissent plus leur papa.

Elle noua son épaisse chevelure sur sa nuque, comme pour se donner du courage et poursuivit :

— Je me sens privée de tendresse, d'affection, de joie et de sexe. J'ai perdu ma vie de femme et je vais y laisser ma peau, tandis que le Petit Roi siège sur son trône, du haut de son piédestal : il ne voit plus son « petit monde ». Il touche le ciel... il vit dans la Lumière.

Le ton était devenu sarcastique. Joshua se sentait attaqué, diminué... Il ne bronchait pas. Elle poussa encore plus loin :

— Tu es devenu une figure de sagesse et d'humanisme aux yeux de tous, une personnalité reconnue pour ses messages et ses enseignements. Mais nous, nous vivons avec l'humain, le père, le mari, absent d'esprit. Que savent ces gens des heures de silence que tu nous imposes ? De ton corps sans vitalité, de tes yeux vitreux comme si tu étais « stone » du matin au soir ? Tu n'entends plus les cris joyeux ou tristes des enfants. Tu ne sais plus jouer... tu es sans vie, Josh !

Meurtri, il ferma les yeux pour se protéger de ces mots brûlants de colère. Il ne pouvait plus recevoir ce lot de souffrance. La mort qu'il avait vécue dans le passage vers la Lumière n'était rien à comparer à celle qu'il traversait maintenant. La descente dans le trou noir où Émilie l'entraînait était nécessaire à son retour à la vie terrestre. Il savait qu'elle avait raison, que cette colère était légitime, même si ce retour à la terre le terrorisait. « Passer de la vie terrestre à la lumière n'est rien à comparer de l'inverse » se dit-il.

Consciente qu'il ne voulait plus l'entendre, Émilie haussa le ton, laissant déferler les sentiments et les émotions empoisonnés qui risquaient de l'entraîner dans une dépression profonde, si elle n'avait refoulé qu'un mot de plus. Sous la colère, couvait, silencieuse, la peur de l'abandon...

— ...et tu ne sais plus rien de moi. Tu m'entends, mais tu ne m'écoutes pas. Tu me vois dépérir, mais tu ne réponds pas à mon corps qui te crie au secours. Je ne sais plus où aller, à qui parler, quoi faire... Je t'en prie reviens à la VIE. J'ai si peur sans toi. Parfois, je sou-haiterais que tu sois mort, pas juste une partie de toi, complètement mort.... Tout mort... tu comprends ? La distance renforce l'amour lorsque nous avançons l'un vers l'autre, mais c'est l'inverse qui nous arrive. Nous vivons sous le même toit et nous nous éloignons. Ne vois-tu pas que notre amour est mourant ? J'ai si peur, Joshua.

Sa beauté décuplait à travers sa rage et sa détresse. Joshua la regardait comme au premier jour. Une vague d'émotions le submergea. Il se leva, l'approcha douce-ment comme pour l'apprivoiser une fois de plus. Glissant ses mains sous ses aisselles, il la souleva sans qu'elle ne s'aide le moins du monde. Émilie au bout de ses forces, lui murmura :

— J'ai besoin de toi, mon amour. De toi, l'homme de ma vie, le père de mes enfants. Reviens, je t'en prie... rentre à la maison, dans ton corps. Tu me manques tel-lement.

Joshua prit le visage d'Émilie entre ses mains tremblantes. De ses bras, elle enlaçait son corps amaigri.
Par la fenêtre de l'âme, leurs yeux se parlaient encore
d'amour. Il lui fallut faire un effort terrible pour arriver
à prononcer ces quelques mots :

— Je ne suis pas capable Émilie. Je me sens perdu...
j'ai aussi peur que toi. Pardonne-moi.

Perdu ! Le seul mot qu'Émilie retenait... perdus...
nous nous sommes perdus. Pourquoi ? Pourquoi est-il
revenu ? Pourquoi tant de souffrances ? Pourquoi nous ?
Qui est ce Dieu d'amour qui permet tant de déchirures ?
Je ne comprends plus, je ne crois plus en rien, je suis si
fatiguée. Comme ma mère, je serai abandonnée avec
mes enfants. Ma rivale, c'est la Lumière ! Je n'ai aucune
chance.

Elle s'enroula dans sa couverture de laine et sans un
mot, rentra à la maison, traînant le pas, telle la veuve qui
rentre des obsèques de son bien-aimé. Elle se jeta aussitôt dans son lit, sans se dévêtir... L'esprit vide, le cœur
sec, Émilie s'endormit exténuée sur le plus grand chagrin
de sa vie.

Figé devant le feu mourant, l'homme perdu n'avait
plus la force de penser. La tempête avait tout saccagé ;
Joshua ressentait à travers tous ses membres l'épuise-

ment d'un naufragé tout juste échoué sur une île déserte.
Il s'endormit, seul devant la braise.

chapitre quatre
Le départ

L a nature étalait déjà ses riches couleurs d'automne sur la grande toile du paysage gaspésien. Aux yeux de Mathilde, rien n'égalait la beauté des fresques de la Baie des Chaleurs lorsque septembre passait le relais au mois suivant. Octobre, à ses débuts, brillait alors de tous ses feux.

Le couple regagnait ses quartiers au bout des douze semaines consacrées à la petite famille de Joshua. Heureux d'avoir apporté leur soutien et leur amour autant aux parents qu'aux enfants, Mathilde et Philippe reconnaissaient tout de même leurs limites physiques et l'importance de se retrouver dans un espace de repos et d'intimité.

Ce n'est pas sans inquiétude que Mathilde avait vu partir le couple chancelant. Ayant été témoin de la naissance de leur amour, elle aurait tout donné pour les aider à le préserver et surtout pour éviter l'éclatement de la cellule familiale.

Impuissante devant le passage difficile de ses enfants, Mathilde se rappelait toutes les étapes qu'elle avait dû franchir pour faire confiance à la vie, pour croire à nouveau en l'amour après le constat désolant de la relation de ses parents et l'échec de son premier mariage. Jusqu'ici, la famille de Joshua avait représenté pour elle le premier portrait d'une cellule familiale solide pouvant résister aux pires tempêtes de la vie.

En ce matin du grand départ, elle étreignit son fils et ressentit au plus profond de son cœur maternel la dépression de Joshua. Lorsque le regard sombre d'Émilie lui avait dit : « au revoir », Mathilde y avait tristement perçu : « Adieu ». Cette chère Émilie ! Elle l'aimait comme sa fille, comme une grande amie.

Ce n'était certes pas en feuilletant les pages de son histoire personnelle que Mathilde aurait pu y puiser une lueur d'espoir pouvant la rassurer. De son enfance et jusqu'à sa rencontre avec Philippe, les scénarios de sa vie furent peu convaincants quand à la durabilité des relations amoureuses et à la solidité des structures familiales.

Le lendemain matin au petit-déjeuner, Philippe percevait les émotions oppressantes qui pesaient lourdement sur le cœur de sa bien-aimée.

— Je te sers un autre café, ma chérie?
— Oui, je t'en prie... merci.

Elle enveloppa le chaud breuvage de ses deux mains, espérant y puiser un peu de réconfort. Pendant que son cœur se gonflait et que ses lèvres se crispaient, sa tête se balançait légèrement en signe d'incrédulité : « Non, il ne faut pas que cet amour meure... que cette petite famille éclate ! »

Philippe, lui-même préoccupé par la crise que le couple traversait, devinait parfaitement les pensées de la grand-maman triste et inquiète. L'amour qu'ils portaient tous deux à ces trois enfants était sans borne. Ces derniers mois passés en leur présence n'avaient fait que renforcer leurs liens d'âmes.

William, derrière son bouclier d'invincible guerrier, s'était sauvé de la séance déchirante des adieux en prétextant une colère envers sa sœur qui, refusant de partir, ne cessait de pleurer dans les bras de Mathilde, tandis que la petite Éloïse s'agrippait au cou de grand-Philippe, comme si son existence dépendait de cette seule branche solide à son arbre de vie.

— Dis-moi qu'ils vont y arriver, Philippe. Mon Dieu, je ne peux pas croire que...

— Chut... ne pensons pas au pire, mon amour. Viens...

Il lui ouvrit grands les bras, l'invitant à s'y blottir. Il appuya sa tête sur son épaule en caressant doucement ses cheveux en bataille.

— Je me sens tellement impuissante, Philippe. Joshua se ferme complètement. Il est inaccessible. Je comprends Émilie de se sentir si seule et à en même temps, je sais que mon fils traverse une profonde dépression. Tu le connais, tu sais comme moi à quel point il est difficile pour lui d'accepter de l'aide. Et pourtant, je sais qu'il aurait tant besoin d'être accompagné.

— Ah ! Si tu savais comme je comprends ce sentiment d'impuissance devant la souffrance des autres, surtout de celle de nos enfants. Comme toi, je voudrais tant pouvoir faire quelque chose pour eux. Hier soir, Joshua est venu me trouver sur la véranda.

— Ah oui ? Je n'ai pas eu connaissance de votre entretien...

— Non, je sais. Vous dormiez tous. Je n'arrivais pas à fermer l'œil et je me suis relevé pour venir lire ici. Il m'a entendu et m'a rejoint.

— Raconte, je t'en prie.

— Eh bien, je crois que ton fils avait besoin d'une écoute et d'un regard masculins sur ce passage difficile qu'il traverse. Tu dois comprendre qu'en ce moment, Joshua ne peut pas se confier à toi, Mathilde.

Afin de la rassurer, il continua à décrire sa perception de l'état d'âme de Joshua :

— Le retour d'un coma est terriblement pénible autant pour le corps que pour l'esprit. Dans le cas de Joshua, il s'agit plutôt d'une expérience de mort consciente. C'est pourquoi le retour est encore plus difficile pour lui, puisqu'il revient avec le souvenir du voyage de son âme. La dépression "post-mortem" redouble d'intensité. Son âme a fait le choix de revenir dans ce corps, mais son esprit n'accepte pas encore cette incarnation. Nous sommes trop près de lui pour pouvoir l'accompagner. Je n'entrerai pas dans les détails de ses confidences, mais je te dirai que la colère d'Émilie est saine et nécessaire au retour de Joshua. Il en est conscient, sauf qu'il ne se sent pas capable de vivre ce passage seul. Tout ce que j'ai pu faire, c'est de lui fournir une référence. Il s'agit d'une démarche qui lui demandera beaucoup de courage et de confiance. Joshua a besoin d'un ancrage. L'âme s'est glissée dans l'enveloppe corporelle jusqu'au chakra du cœur, donc il n'a réintégré que la moitié de son corps, ce qui explique le vide émotionnel et le manque de vitalité. Il ne répond pas aux signaux de son corps physique et affectif. Ce qui peut nous apparaître comme de l'insouciance ou même de l'euphorie parfois, est plutôt alarmant. Le chagrin, la peur, la colère autant que la joie, la créativité, le goût de vivre sont des sentiments qu'il n'arrive plus à exprimer puisqu'au niveau du plexus solaire, il n'y a pas de vie. Il peut même se sentir aspiré vers le haut, ce qui pourrait se traduire par une « envie de mourir ».

— Philippe ! s'écria Mathilde affolée.

— Calme-toi, chérie. Je comprends ta peur et elle est très légitime, mais on sait tous les deux que l'inquiétude est néfaste et inutile. Ton fils est conscient de ce qui lui arrive et il m'a promis qu'il consulterait. De mon côté, je l'ai assuré de notre accompagnement en énergie.

Caressant le visage tendu et crispé de Mathilde, il ajouta :

— Nous n'avons qu'une chose à faire devant notre impuissance humaine et c'est de lui transmettre notre amour et notre lumière. La prière est parfois l'aide la plus précieuse et efficace que nous pouvons offrir à ceux qui souffrent.

La sérénité et la sagesse qui émanaient de la voix de Philippe ramenaient quelque peu la paix dans le cœur de Mathilde. Retirant de la bibliothèque « Le Livre Tibétain de la Vie et de la Mort » de Sogyal Rinpoché, il l'ouvrit à la page 272[1] et proposa à Mathilde de faire la

---

1 • Le titre ainsi que tout le texte en italique qui suit, aux pages 51-52 et 53 : Extrait du « Livre Tibétain de la Vie et de la Mort » Sogyal Rinpoché – Éditions de la Table Ronde

pratique Tonglen pour Joshua. Sans hésiter, elle accepta de se joindre à son mari pour apporter toute l'aide possible à son fils.

Philippe entreprit donc la lecture de la visualisation.

Dans la pratique de tonglen – donner et recevoir – nous prenons sur nous, par la compassion, toutes les souffrances diverses, mentales et physiques, de tous les êtres – leur peur, frustration, douleur, colère, culpabilité, amertume, doute et agressivité – et leur donnons, par notre amour, tout notre bonheur, bien-être, sérénité, apaisement et plénitude.

1. Avant de commencer cette pratique, asseyez-vous tranquillement et ramenez l'esprit en lui-même. Puis, méditez profondément sur la compassion. Invoquez la présence de tous les bouddhas, bodhisattvas et êtres éveillés, demandez leur aide afin que, par leur grâce et leur inspiration, la compassion puisse naître de votre cœur.

2. Imaginez en face de vous, de façon aussi vivante et émouvante que possible, une personne qui vous est chère dans une situation de souffrance. Essayez d'imaginer tous les aspects de sa douleur et de sa détresse. Puis, lorsque vous sentez que la compassion envers cette personne ouvre votre cœur, imaginez que toutes ses souffrances se manifestent et se rassemblent sous la forme d'un épais nuage de fumée chaude, noirâtre et sale.

3. Ensuite, en inspirant, visualisez que ce nuage de fumée noire se dissout avec votre inspiration au centre même de la fixation égocentrique, situé au niveau de votre cœur. Il détruit complètement en vous toute trace d'amour de soi immodéré, et purifie ainsi tout votre karma négatif.

4. Imaginez, une fois la fixation égocentrique détruite, que le cœur de votre esprit d'éveil — votre Bodhicitta — se révèle dans sa plénitude totale. Puis, en expirant, imaginez que vous envoyez à votre ami dans la douleur la lumière radieuse et rafraîchissante de paix, de joie, de bonheur et d'ultime bien-être de votre esprit d'éveil, et que ses rayons purifient entièrement son karma négatif.

À ce point, imaginez que le Bodhicitta a transformé votre cœur – ou même votre corps et votre être tout entiers – en une pierre précieuse étincelante, un joyau qui peut exaucer les souhaits et les désirs de chacun et leur procurer exactement ce à quoi ils aspirent et ce dont ils ont besoin. La compassion authentique est ce joyau qui exauce tous les souhaits, parce qu'elle a le pouvoir intrinsèque de procurer à chaque être précisément ce qui lui manque le plus, et de soulager ainsi sa souffrance en lui apportant la plénitude véritable.

5. Ainsi, au moment où la lumière de votre Bodhicitta jaillit et atteint votre ami dans la douleur, il est essentiel que vous soyez fermement convaincu que tout son karma négatif a été *réellement purifié, et que vous ressentiez la joie profonde et durable de le savoir entièrement libéré de sa souffrance.*

Ils sortirent tous deux paisibles de cette pratique de sagesse et de compassion. Leur sentiment d'impuissance se trouvait remplacé par un état de bien-être et d'amour absolu.

Il était midi et le soleil recouvrait la mer d'étoiles argentées. Philippe enveloppa son amoureuse de ses bras réconfortants :

— Maintenant, dis-moi ma chérie... et si l'on pensait un peu à nous ? Hein ? Automne...Toscane ! Ne trouves-tu pas qu'il y a une belle résonance ici ?

Le clin d'œil et le baiser de Philippe accompagnaient à merveille les billets d'avion qu'il glissa discrètement dans la main de Mathilde. Son visage s'illumina, ses épaules tendues se relâchèrent et un sourire radieux disait merci à celui qui savait si bien prendre soin d'elle. Le temps était venu maintenant pour les grands-parents de se reposer et de faire confiance à la vie.

Le lendemain matin, Mathilde ouvrit les cartes messagères de Joshua, retira son message quotidien pour lire, émerveillée :

La compassion [1]

Prends conscience à quel point ce don de la compassion peut te sortir du gouffre de l'ignorance, de la colère et de la peur. En pratiquant la compassion envers toi-même et envers ton prochain, tu oublieras tes soucis, laissant ainsi la Lumière œuvrer pour toi.

Si aujourd'hui tu te sens impuissant devant la douleur de ceux que tu aimes, prends un moment juste pour inspirer et remplir ton cœur de compassion; expire la peur et le doute vers la terre.

Enveloppe de lumière l'être pour qui tu te fais du souci et vois les nuages se dissiper au-dessus de sa tête.

L'amour est déjà à l'œuvre.

---

[1] • Marjolaine Caron, Les messages de Joshua carte no 6

chapítre cínq
Chamane

*A*ssise paisiblement devant le feu de foyer, Michelle feuilletait le dernier album de photos de Louis. Elle avait peine à croire que déjà dix-sept printemps avaient refleuri depuis la mort de son bel amour. Pendant tout ce temps, elle avait pris soin de conserver précieusement les souvenirs de son odeur, de son intelligence, de sa douceur.

Michelle n'avait que trente-deux ans le jour où, pour la première fois, elle était rentrée à la maison sans lui avec ses deux enfants et Chamane, la chienne Labrador adorée de Louis. Ce soir là, refusant de prendre les somnifères prescrits par Le Dr Simon, la veuve de Louis Faucher tenait à vivre à froid le vide et l'absence dans son cœur et dans son lit. Croyant après chaque

secousse avoir asséché le puits de ses larmes, elle retenait son souffle cherchant désespérément à entendre ne
serais-ce qu'un léger murmure, un écho de sa voix chaude et enveloppante. N'entendre que ces quelques mots,
ceux qu'il lui murmurait chaque soir : « Dors bien mon
bel amour, je t'aime ».

Ses mains caressaient l'oreiller froid de Louis, espérant retrouver la douceur de ses cheveux, la chaleur de
son visage. Louis n'était plus... il n'existait plus en chair
et en os. Plus jamais il ne rentrerait à la maison, plus
jamais il l'enlacerait pour la consoler ou pour lui faire
l'amour tendrement. Plus jamais, se répétait Michelle
jusqu'à ce qu'elle tombe d'épuisement et sombre dans un
triste sommeil.

La jeune maman se consacrait corps et âme à ses
enfants et à ses patients, sans penser à sa vie de femme, à
la possibilité de rencontrer l'amour à nouveau. Non pas
qu'elle choisissait consciemment de se priver d'amour,
mais simplement parce que depuis le premier jour, elle
avait ressenti un sentiment inexplicable, une certitude
inscrite en elle, qu'après Louis il n'y aurait personne
d'autre.

L'amour de ses enfants et de Chamane comblait sa
vie. Ce labrador rempli de sagesse et de compassion,
canalisait par sa simple présence l'énergie de Louis. En

bon guide, il accompagnait Michelle et les enfants dans leur deuil.

Deux ans après le décès de Louis, Michelle fit un rêve étrange. Elle rêva à Louis resplendissant, marchant d'un pas ferme dans un long corridor. Derrière lui, une meute de labradors de toutes les couleurs le suivait comme une armée derrière son commandant. Il portait un sarrau blanc et tenait sur son avant-bras un tableau sur lequel Michelle pouvait distinguer une liste de noms correspondant à une combinaison de chiffres. Elle cherchait en vain à lire les précieuses informations sur la feuille. Les lettres s'animaient, s'entremêlaient, sautillaient, tout comme les chiens derrière Louis. Quelques secondes avant que son rêve ne s'estompe, elle put déchiffrer cette combinaison : 11, 11, 9, 30. Les yeux mi-clos, elle nota son rêve dans son carnet pour replonger aussitôt dans le sommeil.

Deux semaines plus tard, le 30 septembre, à 11h11 précisément, Chamane fut renversée par une voiture et elle rendit l'âme sur le champ. Cette bête si attachante si présente à leurs moindres joies et à leurs plus grands chagrins constituait le noyau de cette famille, le trait d'union entre le ciel et la terre.

Julie et Sébastien préparèrent soigneusement les funérailles de leur chienne. Avant de la mettre en terre, Michelle raconta aux enfants ce qu'elle avait cru être un simple rêve mais qui se traduisait maintenant en un message très clair de Louis et de toute la lignée canine de Chamane venant l'accueillir au paradis. Les enfants pleuraient de joie à l'idée que leur papa serait là pour elle et à la fois, vivaient un immense chagrin à l'idée de ne plus la revoir vivante.

— Maman, crois-tu que papa peut jouer avec Chamane au Paradis ? demanda Sébastien.

—J'en suis certaine, mon ange.

— Et est-ce que Chamane lui dira à papa combien on l'aime, combien il nous manque encore ? reprit Julie.

En guise de réponse, Michelle glissa sous le collier de la chienne une lettre adressée à Louis.

— Tiens Chamane, apporte cette lettre d'amour à Louis pour nous, tu veux bien ?

Julie se leva d'un bond :

—Attends maman, attends... moi aussi je veux écrire ma lettre à papa.

— Moi aussi ! reprit Sébastien.

Les trois messages attachés à son cou, la belle messagère de lumière continuerait d'être le pont entre son Maître et ses amours de la terre.

— Maman, tu crois que les animaux ont une âme ? demanda le jeune garçon curieux.

— Si les animaux n'avaient pas d'âmes, est‑ce que vous croyez que nous pourrions ressentir tout cet amour ? Pour que l'amour se rende à nos cœurs, il faut qu'il y ait une conscience, un esprit, une âme. Les animaux font partie de nos vies et ils sont des créatures divines, comme nous.

Julie tentait d'exprimer son émotion, mais sa gorge nouée empêchait les mots de trouver une voix. Michelle l'entoura de ses bras aimants l'encourageant à libérer ses sentiments. Elle se ressaisit doucement et demanda à son petit frère :

— Toi Sébas... est‑ce que tu as autant de peine qu'à la mort de papa ?

Le petit homme de 10 ans qui voulait certes reprendre le contrôle de cette situation devenue embarrassante, s'empressa de répondre :

— Moi je pense que c'est aussi papa qu'on pleure. J'ai de la peine et en même temps je suis content pour papa. Il retrouve sa Chamane. Moi je dis que perdre un animal, ça peut faire aussi mal que de perdre un parent ou un ami. Les gens qui ne comprennent pas ça, c'est parce qu'ils n'ont jamais connu un chien comme

Chamane ou qui ne reconnaisse pas la sagesse et l'intelligence d'un animal.

Michelle reconnaissait en son fils l'héritage de sagesse et de compassion que Louis lui avait légué. Pendant que les enfants déposaient le cercueil dans la fosse, Michelle plantait un rosier blanc à la tête de leur chienne adorée. Sébastien déposa un os à ses pieds et au centre, Julie lui offrit sa balle déchiquetée.

La cérémonie se clôtura par un hommage rempli de tendresse et d'amour à cet animal avec qui ils avaient partagé tant de moments précieux.

Michelle laissa une semaine s'écouler avant d'amener les enfants chez l'éleveur de Chamane. Ce jour-là marquait aussi l'anniversaire de Sébastien. Julie et Michelle s'entendaient pour dire que le choix du chiot revenait au fêté et qu'il allait en être le maître. Lorsque leurs regards se croisèrent, Sébastien n'eut aucune hésitation.

— C'est lui maman... regarde, tu vois ? Il m'a reconnu aussi !

Il le baptisa sur le champ...

— Viens Toby, je vais prendre bien soin de toi !

Le petit mâle à la robe brun chocolat se mit aussitôt à lécher le visage rond de son nouveau maître au son joyeux des éclats de rire retentissant dans le chenil.

chapitre six
Une lettre à la vie

Refermant l'album qui avait remué tant de souvenirs lointains, Michelle ramena la couverture de laine sur ses épaules, ressentant vivement la froideur de cette solitude qui se faisait de plus en plus lourde avec les années. Maintenant que les enfants avaient quitté le nid pour prendre leur envol et que la préretraite se pointait sournoisement le bout du nez, la veuve de 49 ans se sentait plus que jamais désorientée. Autant elle avait pu ressentir la présence de Louis pendant les quinze années qui suivirent son départ, autant maintenant elle ne ressentait plus que le vide, que l'absence totale, comme s'il avait même quitté le monde de l'invisible.

Quelques jours auparavant, Sébastien et Julie lui avaient fait part de leur inquiétude grandissante de ces derniers temps.

— Maman, ce n'est pas une saine solitude que tu vis, mais plutôt de l'isolement. Je n'aime pas te voir passer ces longues soirées, seule. Tu ne fais rien d'autre que travailler. Tu n'as pas de vie sociale, tu ne sors pas. Ce n'est pas sain ce train de vie ; tu le sais n'est-ce pas ?

Julie renchérit :

— Sébas a raison maman. Moi aussi je m'inquiète pour toi. Parfois, j'ai l'impression que tu es déçue lorsque je ne t'appelle pas pour garder les enfants. C'est comme si tu n'avais que nous dans ta vie. Depuis la mort de papa, tu t'es consacrée entièrement aux autres. Pourquoi n'as-tu jamais pensé faire une place à un autre homme dans ta vie ?

Michelle avait sursauté à cette réflexion inattendue de sa fille. Elle n'avait jamais abordé la question avec ses enfants. Sa démarche, son attitude, son manque de coquetterie et toutes les responsabilités qu'elle prenait en double disaient tout. Il n'y avait ni temps, ni espace pour un homme dans sa vie. Choquée par cette intrusion, elle s'empressa de répondre sèchement :

— Vous savez très bien que personne ne remplacera votre père et que je n'ai pas la moindre attirance envers d'autres hommes. Je vis très bien seule et je n'ai besoin de personne. Vous n'avez pas à vous inquiéter pour moi, c'est compris ?

— Mais maman, s'empressa Julie... écoute-nous pour une fois. Nous ne sommes plus des enfants. Est-ce qu'on a le droit à notre tour de te faire part de nos inquiétudes ?

Julie jeta un regard à son frère, cherchant un accord tacite à savoir si elle devait exprimer clairement leur plus grande inquiétude. D'un hochement discret de la tête, il l'encouragea à poursuivre. D'une voix douce, elle osa :

— Maman... c'est que Sébas et moi, on a remarqué que tes mains tremblent le matin et que tu as fréquemment des trous de mémoire. Ça nous inquiète vraiment beau....

Michelle lui coupa net la parole :

— Ben voyons... vous vous faites du souci inutilement les enfants. Les tremblements et les trous de mémoire, ce ne sont que des effets désagréables de la ménopause. Je fais aussi de l'insomnie et j'ai des chaleurs terribles, si vous voulez tout savoir. Alors je vous en prie, n'en faites pas tout un plat d'accord ? Et pour ce qui est de remplacer votre père, vous savez à quoi vous en tenir, alors s'il vous plaît...

Sébastien l'interrompit à son tour :

— Et si on t'avait dit, après la mort de Chamane, qu'aucun autre chien ne viendrait la remplacer, qu'on préférait la pleurer pour le reste de notre vie et se priver de la présence d'un être aussi merveilleux que Toby ? Si on avait refusé ce cadeau que tu nous offrais, sous prétexte qu'on pouvait très bien vivre sans la présence et l'amour d'un animal à nos côtés, comment te serais-tu sentie, maman ? Peux-tu faire un petit effort et enlever tes œillères ? Crois-tu que c'est ce que papa veut pour toi, que tu passes le reste de ta vie isolée dans ton coin à attendre que ton heure sonne pour enfin le rejoindre ?

Le visage enfoui aux creux de ses mains glacées, Michelle sanglotait. Julie s'assit par terre devant sa mère, retira doucement ses mains de son visage pour l'entourer de ses bras aimants et lui dit doucement à l'oreille :

—Tu as le droit d'être heureuse maman, même si papa est mort. Tu comprends ? Tu as le droit de recevoir et donner de l'amour aussi, même si papa restera toujours l'amour de ta vie.

Il n'en fallut pas plus pour que la veuve solitaire se permette, pour la première fois, de partager son immense chagrin avec ses enfants chéris. Sébastien, ému, laissa monter la peine qu'il avait lui aussi souvent refoulée pour épargner sa mère. Il lui faisait grand bien de la voir se livrer, s'ouvrir à eux qui se sentaient maintenant capables de l'accompagner. Enfin, une libération se pointait au cœur de la famille de Louis ; enfin, la femme acceptait d'ouvrir les volets de sa maison intérieure pour entrevoir une lueur d'espoir, une parcelle de joie et de vie.

— On a tous survécus maman... ajouta son fils... maintenant, tu peux vivre ta vie, hein ?

Sébastien lui lança le clin d'œil de Louis, celui qui lui disait : « tout va bien aller, mon amour ».

Ce soir-là, Michelle se trouvait à nouveau confrontée à cet espace de solitude. Réfléchissant à cette dernière phrase de son fils, elle se dit : « Je croirais entendre Louis, ma foi ! Est-ce toi mon amour qui leur inspire cette sagesse ? Mais comment faire pour vivre ma vie, maintenant ? »

Elle n'aurait su dire si cette voix qui montait en elle était celle de Louis ou celle de son âme... : « Écris Michelle, écris. » Sans hésiter, elle s'empara de son journal et laissa son cœur écrire, librement :

Chère Vie,

Ce soir, je sens ce besoin immense de t'écrire, toi qui m'as toujours conduite vers le meilleur de moi, même si parfois j'avais le sentiment que tu me laissais tomber.

Oui, je t'avoue que j'ai souvent douté de toi. Parfois même, j'ai pensé que tu étais cruelle envers moi, alors que pourtant tu m'offrais toutes les expériences, toutes les épreuves et même toutes les joies pour me mener à bon port.

Il m'aura fallu quarante neuf ans de toi, pour comprendre ton grand plan. Durant toutes ces années, je me suis battue, croyant que je pourrais venir à bout de tes embûches par mon contrôle et mon pouvoir.

Non, tu n'as pas été facile pour moi. Tu as été un professeur très exigeant. Tu m'as amenée à répéter sans cesse les mêmes scénarios. Une ligne, une phrase manquées ? On reprend depuis le début ! En même temps, tu me fournissais inlassablement le courage et la force de reprendre ta musique dès la première ligne et d'y donner un autre sens.

J'ai sué, j'en ai bavé, chère Vie, avant de comprendre que tout ce j'avais à faire, c'était de suivre ton courant. Toi, qui a toujours eu un regard beaucoup plus large que moi sur ma destinée.

Tout ce que je croyais pouvoir accomplir, tu le multipliais par cent. Je mettais la barre haute... tu la remontais d'un cran. Je fus tant de fois essoufflée à essayer de me dépasser pour t'attraper. Pourtant, tu ne me demandais qu'une chose... te vivre.

Aujourd'hui, à l'aube de mon dernier tiers, je commence à te comprendre, à t'accueillir et à laisser derrière moi ce passé qui n'existe plus, ce futur qui n'existe pas encore, pour accueillir ce présent investi de toi.

Aujourd'hui, tu m'offres l'Amour sur un plateau d'argent. Celui qui me revient par droit divin. Ce soir, la Vie, je te dis "oui"! Je te reçois, je t'accepte, je t'honore et je te rends grâce.

Merci à toi, pour ta patience envers moi, qui fus si longtemps inconsciente de ta valeur, de ton amour pour moi et de ta richesse si grande.

Ce soir, je me lance dans tes bras, je m'abandonne à tous les projets que tu as pour moi. Je t'embrasse et t'accueille totalement, comme l'enfant en moi qui t'avait choisie au jour de ma naissance.

Pour tous les arbres, les fleurs, les animaux, les océans, le soleil, la lune, les étoiles et les humains que tu as mis sur ma route, je te remercie! En l'honneur de ta beauté, je m'incline et te bénis!

Un jour, tu quitteras ce corps et les miens me pleureront,
mais ce qu'ils devront savoir, c'est que toi et moi, nous ne les
quitterons jamais.

Car, toi la Vie, tu ne cesseras jamais d'exister et je sais
qu'avec toi... je ne suis jamais seule. Je choisis ce soir de te
vivre jusqu'au bout de moi-même.

Relisant à voix haute ce vœu résonnant tel l'écho des battements de son cœur, Michelle prit conscience du pacte qu'elle signait librement avec la Vie. Elle savait maintenant que la femme en elle se manifesterait dans toute son authenticité. La puissance vibratoire des mots étant déjà à l'œuvre, la transformation n'allait pas tarder à se manifester.

Il était 11h11 quand Michelle éteignit la lampe pour se mettre au lit. Elle sourit, en se disant que ces quatre chiffres alignés venaient constamment lui rappeler l'ouverture des portes de la conscience et que dorénavant elle ne pourrait plus faire semblant, ni se cacher derrière son image de « femme forte ».

Dès qu'elle déposa sa tête sur l'oreiller, la sérénité qui l'habitait la transporta au pays de son enfance. Une image au ralenti l'entraîna à dos de cheval, au son de la musique magique d'un majestueux manège. C'était à Disney World... elle avait 5 ans. Ses yeux et son sourire baignaient dans les lumières dorées de ce monde féérique : elle se croyait au paradis. Papa la tenait fermement par la taille, maman les prenait en photos, tandis que Charles, son grand frère, se réjouissait de la voir si heureuse, se disant fièrement trop grand du haut de ses neuf ans, pour ces petits manèges de bébés.

Ces souvenirs de pur bonheur devaient pourtant s'estomper derrière la scène contrastante qui amena Michelle aux premiers bancs de l'église de son village, là où se déroulaient les funérailles de son grand frère adoré qui n'avait que 18 ans.

Elle revoyait ses yeux terrorisés, rivés aux visages défaits de ses parents. La jeune fille de 14 ans cherchait la vie, quelque part autour d'elle, comme si Charles avait tout emporté avec lui, même l'amour de son papa et de sa maman. Existerait-elle un jour encore pour eux ? Arriverait-elle à combler ce vide, à sécher leurs larmes, à ramener la joie de son frère à la maison ?

Ces images si vivantes déferlaient dans l'esprit de Michelle sans pour autant la bouleverser. Étrangement, elle visionnait ces épisodes de joies et de peines sans déchirement, comme si le film de sa vie se déroulait devant ses yeux, simplement pour l'aider à comprendre ce qui l'empêchait d'avancer, de remplir le vide, de sécher ses larmes et de retrouver sa joie de vivre. Tous les deuils qui avaient précédé la mort de son mari remontaient maintenant à la surface.

La mère responsable, la pédiatre professionnelle et l'amie fidèle cachaient bien la femme souffrant secrètement derrière elles. Après la mort de Louis, le vin était devenu l'ami de la veuve, qui contrôlait sagement sa consommation. Au fil des ans, l'ami, devenu indispensable, grugeait insidieusement la santé et l'équilibre de cette grande dame.

Michelle ne se doutait pas de la dépendance qui infiltrait sournoisement les cellules de son corps. Elle se classait, comme bien des gens, dans la catégorie des buveurs sociaux. En apparence, elle fonctionnait parfaitement et son moral semblait bien supporter la solitude. Pourtant, elle seule connaissait le sombre tunnel des lendemains d'abus, des nuits blanches et des soirées passées à pleurer. Elle seule portait ce regard honteux sur elle-même, lorsqu'au petit matin elle faisait face à son miroir, cherchant, derrière ses paupières enflées, une parcelle de Lumière dans ses yeux... celle de la petite fille de 5 ans, tournoyant dans le manège de la vie, souriant à l'amour de son père.

Jouissant d'une santé de fer et d'un caractère d'acier, Michelle se déguisait chaque jour en femme heureuse, indépendante et autonome, mais ceux qu'elle avait mis au monde voyaient, derrière ce bouclier, leur maman souffrante. Ils ne lui donnaient plus la chance de se cacher maintenant. Elle savait très bien que l'explication des effets de la ménopause ne les avait pas satisfaits et que les tremblements et les trous de mémoire faisaient clairement allusion aux abus d'alcool, devenus de plus en plus inquiétants.

— Mes enfants n'ont pas la responsabilité de mon bien-être, ni de mon bonheur. Je n'ai pas pu sauver mes parents... je ne pouvais pas. Je les ai perdus dans les vapeurs de l'alcool. Ils m'ont oubliée dans le gouffre de leur souffrance. À 18 ans, je me suis retrouvée seule, abandonnée dans la froideur et la noirceur de ma chambre. Après la mort de Charles, ils se sont mis à boire de plus en plus. Lorsque j'ai rencontré Louis, l'amour de ma vie, c'est comme si je les avais retrouvés, comme si mon frère était revenu à la vie avec l'amour dans ses bras, pour moi. Et lorsque Louis est parti, je me suis réfugiée dans la froideur de mon lit, chaque soir, après avoir bien pris soin de mes enfants. Et maintenant qu'ils sont partis, je sombre sous les nuages de l'ivresse, comme mes parents. J'ai honte, j'ai peur, j'ai besoin d'aide.

C'est ainsi qu'elle se confia au psychothérapeute qu'elle avait courageusement décidé de consulter, au lendemain de cette prise de conscience. Pour la première fois de sa vie, elle avait accepté d'être accompagnée, de soigner les parties blessées en elle, de nettoyer le passé pour faire ce premier pas vers elle-même, vers la vie à qui elle avait donné ce rendez-vous.

Du haut de sa Lumière, Louis tirait les ficelles, éclairait, guidait sans relâche cette femme qu'il continuait d'aimer. Volontairement, il s'était retiré depuis quelques années. Il croyait que Michelle devait pénétrer seule dans cette zone ténébreuse, pour y trouver elle-même sa lumière. Il connaissait son intelligence et tout l'amour qui animait sa force de vivre. Quitter une telle dépendance lui demanderait beaucoup de courage et de foi. Louis la soutiendrait sans relâche. Chaque jour, la vie lui offrirait un cadeau pour tout le bien et l'amour qu'elle se donnait.

Julie et Sébastien se sentirent soulagés et rassurés par la bonne nouvelle, puisque le secret de Michelle n'en était plus un pour eux depuis quelques années. Tous deux l'assurèrent de leur présence et de leur amour pour l'accompagner dans sa démarche. Dans sa grande capacité à dédramatiser, Sébastien lui avait dit joyeusement : « C'est un beau projet que tu as là, maman. N'hésite pas à te trouver un "coach"... ça t'aidera. » Michelle s'était sentie respectée et encouragée par le commentaire simple de son fils. De son côté, Julie lui avait fait part de sa fierté à l'égard de sa dignité et de son courage.

Christine, sa belle-fille, devenait elle aussi une fidèle alliée, une source de compassion et d'amour. Depuis la naissance de Tania, cette petite-fille si spéciale et si lumineuse, Michelle savait qu'elle devait briser la chaîne des souffrances générationnelles. L'amour pur de cet enfant portait dans ses yeux une énergie de guérison dont la grand-maman était parfaitement consciente. « Cette nouvelle génération, qu'on appelle les enfants de Cristal sont venus élever notre conscience. » ... avait dit Joshua, lors de sa dernière conférence. L'amour de ses petits-enfants illuminait le cœur de Michelle. En vivant sobrement et sainement, elle leur promettait des beaux jours à vivre auprès d'une grand-maman en santé... de corps, d'âme et d'esprit.

Malgré cette dépendance et durant toutes ces années, Michelle n'avait négligé personne autour d'elle ; personne, sauf elle-même... Élever seule deux enfants et mener de front une carrière aussi florissante que la sienne n'aurait pu se faire sans sa force de caractère, sa conscience et son amour de la vie.

Une première victoire s'annonçait, pointant à l'horizon l'approche d'un nouvel amour. L'ivresse ne pourrait plus camoufler son besoin légitime d'aimer et d'être aimée et sa force d'attraction s'en trouverait multipliée. Pas à pas, jour après jour, une femme nouvelle naissait à la vie, à l'amour, à la liberté. Une femme qui s'offrait enfin tout l'amour qui lui revenait.

Ce soir-là, Michelle sortit le papier à lettre, l'encrier et la plume en verre de Murano que Louis lui avait rapportés de Venise lors d'un voyage d'affaires. Les yeux de son amour scintillaient à la lueur du lampion doré

éclairant sa plus récente photo. Elle se pencha solennellement sur la feuille écrue et commença :

Mon bel amour,

*Dix-sept longues années ont passé depuis ton départ. Il
m'aura fallu tout ce temps pour arriver devant toi et
t'écrire enfin cette lettre d'adieu. Combien de fois depuis,
t'ai-je demandé de venir me chercher dès que les enfants
n'auraient plus besoin de moi ? Combien de fois t'ai-je
supplié de m'amener avec toi, dans ton paradis ? Autant
de fois, la vie m'a fait signe qu'il n'en serait pas ainsi, que
ton heure n'était pas la mienne et que me vie après ta
mort comptait plus que tout au monde.*

*Je n'ai pas accepté ta mort, je ne m'en cache pas. Le pire,
c'est que je n'ai pas accepté ma vie après ta mort. Depuis dix-sept ans, je ne compte plus pour moi-même, je
vis pour les enfants et dans l'attente de te rejoindre. Je
sais que tu es témoin de la transformation que je vis, mon
amour, mais je ressens le besoin d'écrire cette page avant
de la tourner.*

*Je t'ai senti tellement présent à mes côtés pendant les
quinze premières années. Après la naissance des enfants
de Julie, c'est comme si tu t'étais retiré. Je ne te sens plus
depuis deux ans, depuis la naissance du petit Thomas. Je
me suis même demandé s'il n'était pas ta réincarnation.
Julie refusait cette idée. Elle avait peur que je m'atta-
che démesurément à son fils et elle avait raison. C'était*

comme si partout où je voulais m'accrocher, me rattacher
à toi, me fondre dans ton ombre, les portes se fermaient.
À toi je peux le confier, mon grand ami, au cours de la
dernière année, de toute mon âme, j'ai souhaité mourir.
Il faisait si noir dans mon cœur et dans mon esprit, cher
Louis.

Au bout de cette descente aux enfers, les enfants m'attendaient. C'est arrivé il y a à peine deux mois. Ils m'ont ac-
culée au pied du mur et je n'ai plus été capable de nier, ni
de faire semblant. Julie a prononcé les mots les plus doux
et les plus libérateurs que je n'avais jamais entendus depuis ton départ... il fallait qu'ils viennent de toi, mon bel
amour. Tu m'as dit, par la bouche de ta fille adorée : « tu
as le droit d'être heureuse, même si je suis mort ». Tous
les « je t'aime » de toute une vie ne pourront jamais remplacer cette phrase d'amour inconditionnel.

La puissance de ces messages s'est frayée un chemin jusqu'à mon âme et c'est comme si j'avais réalisé à quel point
j'étais morte depuis ton départ.   Ne plus s'accorder le
droit d'aimer et d'être aimée, c'est comme se faire mourir
à petit feu. Ensuite, tu m'as dit : « Tu as le droit de recevoir et donner de l'amour aussi, même si je serai toujours
l'amour de ta vie. »... et tu termines en me rappelant que
nous avons tous survécus et en me faisant ton plus beau
clin d'œil à travers Sébastien, qui te ressemble tant. Tu
réalises, mon amour, tout ce que j'ai reçu en l'espace d'un
instant ? J'ai compris que tout cet amour, je Le por-
tais en moi et que je me Le devais. Comment pourrais-je

honorer notre amour et la famille que nous avons fondée ensemble, si je n'honore pas ma vie, mon corps et toutes les richesses de cette terre ?

Pour la première fois depuis ton enterrement, je te dis : « adieu, mon bel amour et ne t'inquiète plus pour moi ». Je prendrai soin de moi et de ma vie. Je réaliserai mes rêves, ceux que je caressais toute jeune. J'ai toujours rêvé de chanter, de faire du théâtre, d'écrire un livre. Il n'est pas trop tard pour moi. Il n'est jamais trop tard.

Maintenant, j'ose affirmer ce que je n'aurais jamais cru pouvoir te dire un jour : « J'ouvre mon cœur à l'amour d'un homme qui saura m'aimer, me respecter et m'accompagner dans mon chemin d'évolution. Il ne te remplace pas, Louis. Tu occupes une grande place dans mon cœur, qui t'appartient à toi seul. J'accepte de partager l'espace d'à côté et le temps qu'il me reste à vivre sur cette terre avec un être à mon image, dans la joie et la paix intérieure. »

Maintenant, je te laisse partir dans ta Lumière, en sachant que la mort ne nous sépare pas et que la vie nous réunit sur tous les plans, éternellement !

Sois heureux ! Je te promets de l'être !
Je t'aime

Michelle

Elle plia la lettre, la glissa dans son enveloppe, la cacheta et inscrivit : « *À : Louis Faucher* ».

Le lendemain, elle se rendit sur le voilier, brûla la missive et répandit les cendres sur les eaux du fleuve. Au même moment, un filet de soleil transperça un nuage ouateux, inondant son visage rayonnant dans la Lumière de son amour. Fermant les yeux, Michelle se rappela la phrase que Louis lui avait écrite dans la carte qui accompagnait la plume : « *Ma rencontre avec toi, c'est comme si j'avais été ébloui par un magnifique soleil au réveil d'un très long sommeil* ».

SIXIÈME CYCLE

La symphonie des anges

chapítre sept

Lumière pour Émilie

La tempête ayant laissé ses décombres empêtrer l'esprit de Joshua, il prit son courage à deux mains et décida d'entreprendre son grand ménage. Dès l'enfance, Mathilde lui avait appris l'importance de mettre de l'ordre dans ses tiroirs, dans sa chambre, dans son pupitre d'écolier, partout à l'extérieur de lui-même s'il voulait arriver à voir clair dans son intérieur.

Ce matin-là, William et Laurie vivaient nerveusement la rentrée scolaire. Émilie courait d'une pièce à l'autre, tentant de rassembler, sans rien oublier, les affaires du bébé qu'elle conduirait à la garderie. Elle allait ensuite rentrer à la clinique pour sa première journée de travail depuis deux ans.

L'agitation et la fébrilité de chacun témoignaient de la précarité de la relation du couple. Joshua tenta de calmer Laurie qui n'aimait pas sa coiffure, tandis que William vidait le sac d'école de sa sœur, convaincu qu'elle lui avait piqué ses crayons-feutres préférés.

Éloïse pleurait, William hurlait, Laurie boudait tandis que Joshua, d'un calme déconcertant, semblait vivre sur une autre planète, ce qui rendait Émilie hors d'elle-même. Elle ne lui adressa pas un mot, tentant d'ignorer son inertie :

— Venez les enfants, venez embrasser maman...

De toutes ses forces, elle réprimait son angoisse et sa colère en ébullition. Elle se souvenait trop bien de cette rentrée scolaire où sa mère, sans le vouloir, avait rempli son sac à dos du fardeau de son chagrin, de ses peurs et de sa rage, après avoir découvert l'infidélité de son mari.

— Allez mes amours... ce sera une très belle journée pour vous deux aujourd'hui ! Vous allez revoir vos amis, rencontrer votre nouveau professeur et vous pourrez raconter vos belles vacances d'été en Gaspésie. Ce sera chouette, hein papa ?

À bout de souffle d'avoir fait semblant, elle tourna vivement le dos aux enfants en faisant signe à Joshua de prendre le relais. Derrière la porte de la salle de bain, son cœur de mère se brisa en mille morceaux. Joshua, devant les petits médusés, leur expliquait que les mamans ont toujours de la peine à voir leurs chers enfants grandir et partir pour l'école.

Ayant contemplé dans son rétroviseur la scène touchante de Joshua marchant lentement au milieu de la rue, amenant par la main ses deux trésors jusqu'à l'arrêt d'autobus, Émilie se surprit à l'envier, même à l'admirer : « et si c'était lui qui avait le pas... et si c'était moi qui était en train de dérailler à toute vitesse ? » Ils n'étaient pas revenus sur le sujet de leur relation après la crise d'Émilie. Joshua avait entendu le cri de son amoureuse. Il ne lui aurait servi à rien de se justifier ou de tenter de répondre à ses attentes. Tous deux avaient un chemin à parcourir pour se rejoindre sur le pont qui reliait l'ombre à la lumière.

Le calme et le silence de la maison sans dessus dessous invitaient Joshua à « rentrer chez Lui » pour commencer à mettre de l'ordre dans sa demeure. La montagne de courrier, les piles de livres, les documents à classer l'attendaient derrière la porte close de son bureau. Ce grand ménage lui demandait beaucoup de courage, mais Joshua connaissait la grandeur de la récompense qui l'attendrait... celle de la clarté de l'esprit et de la paix intérieure.

Joshua avait retenu le sage conseil de Philippe. Quelque part, dans les amas de notes, il retrouverait la référence du thérapeute recommandé par son beau-père. Il ne connaissait pas encore ni les outils, ni les moyens dont il aurait besoin pour retrouver son équilibre et surtout l'élan de vivre ici, sur la terre. Une seule chose demeurait claire dans son esprit : « je suis revenu ici pour accomplir ma mission terrestre et je l'accomplirai ». Il savait aussi que la Lumière ne se trouvait pas ailleurs, sur un quelconque plan spirituel plus élevé. « La vie spirituelle fait partie intégrante de mon être. C'est la vie de l'Esprit en moi, ici et maintenant. La lumière guide mes pas, jour après jour... tout est en place. »... se répétait-il chaque fois que le regard inquiet des autres l'amenait à douter de lui-même.

Un à un, les bouts de papier, les comptes et les dossiers trouvaient leur place dans le classeur ou dans la corbeille. Joshua goûtait le bien-être de l'ordre qui s'installait tranquillement sur sa table de travail, quand un petit mot griffonné sur une feuille lignée glissa par terre. Reconnaissant l'écriture de son professeur de chant, il sourit tendrement au souvenir si précieux de son mentor. Jean avait été plus qu'un professeur pour le célèbre ténor. Il représentait un Maître de sagesse : un philosophe et un homme de foi honorable. À travers la musique, les deux hommes avaient tissé de profonds liens d'amitié. Pendant plusieurs années, ils avaient entretenu une correspondance riche de partages et de confidences.

Jean disait de Joshua qu'il était un messager du divin, un Ange venu droit du ciel, enseigner l'amour, le répandre, le chanter, le vivre.

Ému, Joshua relisait le dernier mot que son ami avait déposé sur son bureau, quelques jours à peine avant de rendre l'âme subitement.

À : Joshua Brown

La densité spirituelle de vos messages est telle que l'on vous sent présent même absent. Mais pour tout dire, on vous aime mieux présent qu'absent. Un seul vœu : demeurez fidèle à votre mission, cher ami, et que grand bien nous fasse.

Au plaisir de vous revoir,
Jean

Son cœur se serra lorsqu'il glissa la missive dans le cahier de musique que le compositeur lui avait dédicacé quelques années auparavant. Le sage écrivait :

À vous, Joshua

Que longévité et grand bien vous soient. Composer, écrire, dit-on, c'est agir. N'ayez de cesse. Vous le messager, propulseur de spirituel, trait d'union, tremplin et dont les messages débordent de la Lumière de l'Esprit, et qui permettent à chacun(e) de vos bénéficiaires de mieux nourrir son Jardin...

Et je signe,

Votre ami,
Qui vous remercie de l'Être.

Jean

Ce n'était pas la première fois que l'élève relisait cette dédicace du maître. Pourtant, à ce moment précis, le sens du message était plus clair que jamais. Joshua ressentit une forte vibration parcourir chaque cellule de son être, comme si la musique lui offrait une nouvelle voix pour exprimer ce qui lui était impossible de transmettre à travers les mots.

Il pensa à Émilie, au passage difficile qu'ils traversaient et à son impuissance devant la détresse de son amoureuse. Comment lui exprimer la grandeur de son amour, malgré son incapacité à ressentir la vie en lui et à être présent à son entourage ? Comment lui dire « je t'aime, mais je ne suis pas disponible pour toi en ce moment ; mon âme vogue à la dérive » ?

Le lendemain matin, aux premiers rayons de l'aurore, dans un état entre le sommeil et l'éveil, Joshua entendit une mélodie qui se répétait avec insistance et qui, obsédante, envahissait sa conscience. Trois notes épelaient « Émilie »... mi, si, si ! À l'instar des mots du premier message de Laurie, sa maman[1], les notes se mirent à déferler dans son esprit. Joshua sentit qu'il devait immédiatement laisser son âme déverser sa Lumière sans quoi cette mélodie serait perdue à jamais. Il se leva, se rendit au clavier et composa d'un jet un adagio serein et apaisant. Il intitula : « Lumière pour Émilie » cette musique qui avait percé la nuit d'un rayon d'espoir. Il ne se doutait pas encore du chemin de guérison que cette musique traçait déjà.

Joshua avait appris à lire les notes avant même d'apprendre à lire les lettres. Il avait à peine 4 ans, lorsque Ted, le pianiste de Laurie, le souleva pour l'asseoir au piano et ouvrir, devant ses yeux écarquillés, la première portée, les premières notes d'une grande histoire d'amour avec la musique. Le grand plan de Joshua comprenait ce don précieux sans lequel il n'aurait pu accomplir sa mission de vie.

De l'autre côté du Pont de Cristal, le Maestro lui donnait la note. Une fois de plus, les forces de l'invisible lui rappelaient la richesse de ses talents et de ses dons, comme si son âme s'était étirée très haut dans le ciel pour attraper du bout des doigts l'instrument qui lui permettrait de jouer la mélodie de sa nouvelle vie.

---

1 • *Le petit livre de Joshua* - p. 72

Après avoir enregistré cette musique, il s'allongea sur le canapé pour s'en imprégner en laissant défiler dans son esprit les souvenirs que cette œuvre réveillait. La vibration de cette mélodie venue d'ailleurs lui rappela cette inoubliable rencontre avec l'énergie christique vécue lors de son voyage de l'autre côté de la vie. Plutôt que des images, c'est un parchemin qui se déroula sous ses paupières closes, sur lequel il pouvait lire : « Je te bénis mon frère. Souviens-toi que tu as le pouvoir d'accomplir des miracles, de ressusciter, de guérir par l'Amour qui t'habite. Je suis toi et tu es moi. Ce que Dieu m'a donné, tu le possèdes aussi. Va et suis ta Lumière ! »

Lisant à voix haute ces phrases parfaitement alignées devant ses yeux, Joshua reconnaissait ces paroles prononcées par le Maître lors de la visite de son corps astral, dans la cellule de Tommy, son agresseur[1]. L'air de « Lumière pour Émilie » ranimait aussi à sa mémoire le souvenir de la réunion avec les Douze Guides qui s'étaient présentés à lui lors de son voyage initiatique en montagne, alors qu'il avait à peine 22 ans[2].

À travers ces vibrations musicales, son âme transmettait l'information à son esprit conscient qu'elle habitait maintenant un corps physique, un corps émotionnel, un

---

1 • La Lumière de Joshua – p. 165
2 • Le petit livre de Joshua – p. 212

corps intellectuel et un corps spirituel. Les quatre plans se réalignaient pour créer un équilibre entre l'humain et le divin, l'homme et la femme, l'énergie yang et yin. Joshua comprit alors que cette musique céleste l'accompagnait sur le chemin du retour à la vie terrestre. Le vent du changement soufflait fort autant dans les ailes du messager spirituel que dans la vie du père de trois enfants et du mari d'Émilie. Une vague de profonde tristesse lui fit reprendre contact avec sa nature humaine qui demandait à être accueillie et aimée.

Le Guide de la *joie* soutenait parfaitement cette prise de conscience. La mélodie rejouait sans cesse et lui donnait la force de visionner les scènes du crime contre sa mère, celles de l'attentat à sa propre vie jusqu'à sa pénible sortie du coma.

L'ego se manifesta alors à travers des sentiments de colère, de haine et de vengeance. Il réalisa que la partie divine en lui avait réussi à pardonner, mieux encore à bénir son agresseur lors de son passage dans la lumière. Pourtant, l'humain portait toujours le fardeau des sentiments négatifs liés à son statut de victime. Comment arriver à pardonner autant de haine et de violence ? L'ombre dansait maintenant avec la Lumière, demandant à être reconnue et transformée. La musique s'était arrêtée, le silence parlait plus fort que tout. Le pardon devait maintenant traverser le Pont de Lumière pour arriver au cœur de l'homme.

Au bout de cette communion avec la Source, la plume blanche se glissa doucement dans ses pensées. Elle l'invita à recevoir le message du Guide de la joie qui lui donnait rendez-vous pour sa première canalisation en écriture depuis son retour à la vie. Sa respiration se faisant de plus en plus lente et profonde, la chaleur se frayait un chemin pour ouvrir le canal du messager. Lentement il se leva, alluma un lampion et déposa la plume sur la première page. La joie s'en empara :

«L'étincelle de lumière dans ton regard témoigne de ma présence dans ton cœur. Du premier jour de ta vie et jusqu'à ton dernier souffle, je suis là, je t'habite, je vis en toi. Abreuve-toi à ma Source mon ange, toi qui portes en ton cœur tant de tristesse et de colère. Je me fraie un chemin jusqu'à toi aujourd'hui pour te rappeler que rien ni personne ne peut me tuer. Je cohabite en toi avec ma sœur la tristesse, qui elle aussi occupe une place légitime et importante dans ta vie. Lorsqu'elle se manifeste, sache que je ne suis pas loin derrière. Ne la repousse pas... accueille-la en la laissant s'exprimer. Lorsque tu es né et que tu as choisi cette incarnation terrestre, elle s'est manifestée la première. Tu as pleuré avant de sourire à tes parents, bel Ange ! Naître c'est aussi mourir à ce que tu laisses derrière toi... c'est triste. À travers la voie de la tristesse, un chemin se dessine vers moi, la joie. Lorsque la nuit tombe, le soleil se lève déjà ailleurs. Le cycle naturel de la vie tourne sans cesse, sans faille.

Seuls la colère et la haine peuvent me tenir à l'écart et m'empêcher de te rejoindre. La colère se manifeste parfois même à ton insu à travers ton regard, tes paroles et tes gestes. Tu peux toujours nier et répéter « je ne suis pas en colère, je n'ai rien à pardonner » mais mon absence dans ton énergie te trahira, Joshua. Lorsque je ne brille pas dans tes yeux, c'est que la colère siège dans ton esprit, à ma place.

Je t'invite à démasquer cette présence indésirable en toi. Fais appel à tes Guides de la force, du courage et de l'amour, pour laisser cette colère s'exprimer sans violence. Une fois libéré de cette énergie destructrice, tu pourras choisir de pardonner. Oui, Joshua... je dis bien « choisir », car ce pouvoir t'appartient. Tu es le seul à pouvoir faire ce choix. Au bout de ce chemin de paix, tu me reconnaîtras.

Derrière les murs de sa cellule, à travers les barreaux de sa prison, un homme attend ton pardon, un enfant de 8 ans a besoin de toi. »

Joshua s'empressa de répondre avant que l'énergie du Guide ne disparaisse :

— Ne pars pas... j'ai besoin de te parler. Je me sens si lourd, comme si toute ma vie était chargée de tant de tragédies, de pertes et de deuils. J'ai parfois le sentiment de porter la peine du monde entier en moi et de ne pas avoir ce talent d'être simplement heureux...

Il est vrai que ton chemin de vie n'est pas banal et que les initiations se sont succédées sans relâche... mais dis-moi Joshua, si on faisait l'inventaire de tes bénédictions ? De la vie que la mort a semée en toi ? De tes talents, de ta conscience, de ta force, de ton charisme, de tout l'amour qui t'habite et qui t'entoure ?

Joshua pleurait. Il se sentait indigne, égoïste, si loin du divin. Le Guide continua :

J'entends ici la voix de l'ego et je sais à quel point il t'est difficile d'accepter l'aide de tes pairs. Cette partie de toi si exigeante s'acharne à vouloir œuvrer en solitaire. L'ego est dépourvu de compassion, d'humilité et de joie. La vie spirituelle est empreinte de simplicité, d'humanisme, de partage... eh oui ! Joshua, de partage. Donner et recevoir. Voilà ta grande difficulté... recevoir. Reçois humblement le soutien qui t'est offert, ici et maintenant. Ne cherche plus, ne te questionne plus... repose ton mental. Écoute « Lumière pour Émilie » et laisse la musique soigner ton âme. Demain et dans les jours qui viennent, tu sauras parfaitement ce qu'il te reste à faire pour me retrouver. Dors maintenant....

— Mais avant de partir, dis-moi... l'amour d'Émilie, est-ce que je le perdrai aussi ?

L'amour... le vrai, ne se perd pas mon Ange. Ce n'est pas l'amour d'Émilie que tu as peur de perdre mais bien sa présence à tes côtés et son regard sur toi. Soigne ce regard sur toi-même, ainsi tu ne dépendras plus de ce-lui des autres. Aime, comme tu voudrais être aimé... infiniment.

Le petit Roi tira les rideaux, retourna au lit, s'emmi-toufla dans ses couvertures et avant de s'endormir, pria tout de même pour qu'Émilie revienne.

Le lendemain, il enregistra son oeuvre et l'envoya par courriel à Émilie.

Mon bel amour,

Hier à l'aurore, j'ai été réveillée par trois notes qui mur-muraient ton prénom à mon oreille. J'ai composé cette musique d'un jet, en pensant à toi. Sans toi, cette mélo-die qui me fut inspirée à la lumière de l'aube n'existerait pas.

Je te l'offre avec tout mon amour.

Joshua

Ce soir-là, Émilie avait dû travailler plus tard pour mettre ses dossiers à jour. Alors qu'elle rassemblait ses affaires, juste avant d'éteindre son ordinateur, elle fut surprise de voir que Joshua lui avait envoyé un messa-ge. Lorsqu'elle s'aperçut qu'il y avait un fichier attaché, elle déposa son manteau, son sac et ses clés sur le bu-reau, tira la chaise et s'assit pour écouter attentivement l'envoi de son mari. Dès les premières notes, son coeur se gonfla à la fois de bonheur et de tristesse, comme si elle reconnaissait cet air d'un autre temps, d'un autre monde. Cette mélodie d'amour la dépouillait de ses défenses, l'obligeait à s'abandonner. Cet amour semblait venir d'ailleurs, comme si Joshua lui offrait une parcelle de la Lumière qu'il ramenait de son voyage. Elle écouta maintes fois ce message d'âme à âme. Épuisée de tenter de comprendre, de rationaliser, de retrouver leur vie d'avant, Émilie accepta de s'écrouler. Son âme en profita pour prononcer les premiers mots vers son affranchissement : « Je n'en peux plus... je suis au bout de mon rouleau... je lâche prise. Je démissionne ».

Des sanglots libérateurs secouaient son corps épuisé. Sans hésiter, elle tira le tiroir du clavier et laissa ses pensées s'écrire dans un courriel adressé à son bien-aimé :

Cher Joshua,

Les mots n'arriveront pas à exprimer ce que cette musique remue en moi. Elle me plonge dans un bain d'amour et de lumière mais j'ai peur de m'y noyer car je ne sais toujours pas ce qui va nous arriver ni comment nous survivrons à cet orage. Je reçois la « Lumière pour Émilie » avec mon cœur, en m'efforçant de mettre de côté mes soucis, mes angoisses, ma colère et mes peurs. Je te dis merci pour cette caresse à mon âme. De tout mon cœur, je souhaite que nous nous retrouvions au bout de nos chemins de guéri-

son. J'ai encore des sentiments pour toi. Je ne sais juste plus comment les nommer, mais je sais que je tiens à les préserver.

Je te répète simplement les mots qui sont spontanément sortis de ma bouche, après avoir écouté, dix fois plutôt qu'une, cette mélodie que tu as composée juste pour moi. Voici ce que je me suis entendu dire : « je n'en peux plus... je suis au bout de mon rouleau... je lâche prise... je démissionne. »

Voilà, je cesse de me battre. Je l'admets... j'ai besoin d'aide, autant physiquement que spirituellement et psychologiquement. Je ne suis pas prête à reprendre le travail. Je sais que tu ne peux pas m'accompagner, comme je ne peux pas t'accompagner non plus. Je te propose une séparation temporaire, afin que nous ayons chacun notre espace pour vivre ce passage, ce tournant majeur de nos vies. J'aimerais que nous puissions convenir ensemble des meilleures conditions pour nous et pour les enfants. D'emblée, je te propose que nous trouvions un endroit paisible où nous pourrons nous retirer à tour de rôle et nous relayer auprès des enfants. Je pensais à la maison gaspésienne, étant donné que Mathilde et Philippe ne reviendront de voyage que dans un mois.

Joshua, Il faut que je me retrouve. J'ai passé ma vie à nourrir ceux que j'aime, en commençant avec ma mère, jusqu'à Éloïse. J'ai oublié de Me nourrir. Je suis en train de mourir de faim.

Je dois sauver ma peau. Je sais que tu comprendras.

Je garde précieusement cette Lumière que tu m'offres aujourd'hui afin qu'elle me rappelle chaque jour ton amour dans ce passage si difficile.

J'ai peur...
Émilie

Le cœur serré, Joshua avait lu le message de son amoureuse. Un jour, alors qu'ils se fréquentaient à distance, entre les Laurentides et la Gaspésie, il lui avait écrit :

Si un jour tu devais partir, j'aurai certes le cœur déchiré, mais ta liberté sera toujours plus importante à mes yeux que mes propres sentiments.

Fermant les yeux, dans sa grande sagesse, il fit appel aux Douze Guides de Lumière afin de recevoir l'énergie nécessaire à cette grande traversée. Son amour pour Émilie continuait de grandir. Une partie de lui savait que le passage serait difficile mais la confiance en leur amour demeurait intacte.

chapitre huit

Du crépuscule à la Lumière

L a pluie martelait ardemment le pare-brise du taxi qui conduisait Joshua au 242, Montée Gagnon à Sainte-Anne-des-Plaines. La tête appuyée contre la vitre, il songeait aux premiers mots qu'il prononcerait, aux premiers gestes qu'il poserait en voyant Tommy. Pour la première fois de sa vie, il allait franchir les portes d'un pénitencier... celui de l'établissement Archambault. Jamais le messager n'avait envisagé de croiser un jour le regard froid de ces hommes mis à l'ombre pour avoir commis des crimes, de ceux qui, comme le meurtrier de sa mère, avaient un jour changé à jamais la trajectoire de maintes vies, écorchées par la mort de leurs victimes.

Au lendemain de son entretien avec le Guide de la *joie*, sur l'air de « Lumière pour Émilie », Joshua n'arrivait pas à chasser de son esprit le regard vide, le sourire diabolique et le teint livide de Tommy le fixant droit dans les yeux juste avant la détonation. Plus il tentait d'écarter ce flash bouleversant, plus la scène se déroulait répétitivement et à une vitesse vertigineuse dans sa tête, comme si toutes les cellules de son corps cherchaient à exorciser la terreur de cet instant qui avait fait basculer sa vie. La colère et la peur de la folie s'emparèrent de lui. Le souffle court, les sueurs et les étourdissements lui signalaient l'urgence de laisser ces émotions et ces sentiments trouver une voix pour s'exprimer. Se tenant la tête entre les mains, il descendit sur la plage et s'effondra à genoux devant la mer. D'instinct, il creusa un trou profond dans le sable mouillé et dans ce trou il poussa un cri ventral, comme pour confier au cœur de la terre Mère le mal qu'il portait en lui. Relevant la tête vers le ciel, il s'adressa au Père :

— Pourquoi, moi... pourquoi ? La vie de ma mère... ça ne vous suffisait pas ? Pourquoi vous en prendre à moi, à ma famille, à ma vie que j'ai eu tant de mal à reconstruire ? Tommy... salaud, démon, monstre ! Pourquoi n'as-tu pas pris ta propre vie, plutôt que de continuer de répandre le mal que ton père t'a injecté dans les veines ? Je te hais, je vous hais tous... je voudrais pouvoir exterminer votre race, la faire disparaître à jamais. Et Toi, Dieu... pourquoi m'as-tu abandonné ?

Joshua s'était vidé de sa colère jusqu'à l'épuisement. Il s'était ensuite glissé dans le sac de couchage dans lequel Émilie et lui avaient passé leur première nuit ensemble sur la plage. À l'intérieur de cette enveloppe douillette, il retrouvait la chaleur du sein maternel, la tendresse de l'amoureuse et surtout la conscience de sa partie féminine, celle qui le gardait en équilibre dans sa force. Dans cet espace de sécurité et d'ouverture, une invitation intuitive se rendit jusqu'à son cœur. « Viens, Joshua... je t'attends. » Il lui avait fallu plusieurs jours avant d'accepter cette invitation de Tommy. Plusieurs jours et plusieurs nuits blanches.

Le chauffeur de taxi se retourna et prit son dû. Il adressa à Joshua un regard compatissant en le voyant ramasser tout son courage pour faire ce premier pas et franchir le seuil des ténèbres.

Lorsque la lourde porte de métal s'était ouverte sur le long corridor des enfants mal aimés, Joshua pensa : « Le pire crime que l'on puisse commettre est de donner la vie à un enfant pour ensuite lui enlever, en le privant d'amour. Sans amour, l'âme meurt. Sans amour, l'homme tuera pour survivre. » Joshua avait demandé une permission spéciale pour visiter Tommy dans sa cellule. Étant donné la notoriété de la victime et la conduite exemplaire de l'accusé, les autorités s'étaient pliées à sa demande.

Assis bien droit sur sa couchette, Tommy fixait l'image de Jésus sur le mur devant lui. Il tenait dans ses mains une enveloppe qu'il faisait tourner nerveusement entre ses doigts. Lorsque la porte se referma derrière Joshua, Tommy baissa les yeux, fixant ses chaussures bien cirées. Fraîchement rasé, soigneusement coiffé, il avait presque fière allure malgré ses vêtements beaucoup trop grands. Joshua n'arrivait pas à reconnaître le visage de son agresseur. Les cernes creusaient des sillons noirs autour de ses yeux givrés, le squelette de son visage semblait vouloir percer la peau mince comme du papier de soie.

Depuis que Joshua s'était annoncé, Tommy n'avait cessé de prier. Comment trouver les mots pour affronter l'homme qui, sans le savoir, avait sauvé son âme ? Comment lui dire merci, alors qu'il avait tenté de lui enlever la vie ? Comment lui expliquer que grâce à lui, il avait reçu la visite et la bénédiction de Jésus dans sa cellule et que même à l'intérieur des murs de cette prison, il se sentait libre et heureux ? Comment réparer tout le mal qu'il avait fait subir à sa victime devenue son sauveur ? Par où commencer ?... Tommy choisit de se taire, de continuer de prier et d'attendre.

De son côté, Joshua avait peine à respirer. Un réflexe l'avait amené à tenter d'ouvrir la porte verrouillée derrière lui, comme pour vérifier s'il pourrait s'enfuir, courir chercher de l'aide si jamais sa vie était en danger. En l'espace de quelques secondes, il revit ce petit bonhomme de 8 ans, caché derrière la porte légèrement entrouverte de sa chambre... seul témoin impuissant du meurtre crapuleux de sa maman.[1] La même question se posait à son esprit. Comment sortir d'ici ?

Sur cette réflexion, l'image de Christ attira son attention, comme pour lui rappeler qu'il veillait sur lui. C'était maintenant à son tour de baisser les yeux, de les fermer et de demander à tous les Guides de Lumière de l'éclairer, de le soutenir, de le guider. Les mots lui semblaient si inutiles, si inadéquats pour traduire ce qui se passait dans le cœur de deux enfants souffrants, devenus grands par des chemins si différents.

Une vague de courage dénoua la langue de Tommy qui, de sa voix timide se mit à raconter dans ses mots :

— Quand j'étais p'tit, j'sais pas... je devais avoir à peu près 5 ans, ma mère un bon matin, en avait eu assez de sa chienne de vie. Elle est partie. Elle pensait que j'dormais... mais non. J'm'étais levé de mon lit d'camp dans le salon, pis par la fenêtre, j'l'ai vu s'en aller avec sa valise, son chapeau de travers sur sa tête, son manteau trop grand et ses bas ravalés sur ses souliers trop p'tits. Peut-être qu'à pleurait... pas sûr. Mais, j'aimais ça l'crère. Ça m'faisait du bien. Sinon... c'était trop

---

1 • Le petit livre de Joshua - p. 20-21

tough. Mon père saoul mort, avait pas eu connaissance de rien. Dans nuitte, y avait eut une grosse chicane et mon père, comme à chaque fois qu'y buvait, s'était endormi sur la musique de ta mère. C'tait toujours ça qui me réveillait le matin. Le pick-up qui continuait de tourner au boutte du record. Ça faisait « chque, chque, chque, chque... » comme si quelqu'un passait le balai su l'asphate. J'aimais ça, ce bruit là... mais pas autant que la voix de Laurie Brown.

Serrant les dents, Joshua ravala. Au même moment, les deux hommes levèrent les yeux et se regardèrent, silencieux, comme si la voix de Laurie tissait un lien entre eux. Une voix qui avait bercé leur enfance. Joshua appuya ses coudes sur ses genoux et déposa son visage entre ses mains, invitant ainsi Tommy à poursuivre son récit.

— J'ai pu jamais r'vu ma mère. On a jamais eut de nouvelles d'elle. Mon père disait que c'était mieux comme ça, que c'était une crisse de folle anyway et qu'on s'arrangerait ben tous les deux. Mon père c'tait mon héros, mon Dieu... tu comprends ? Sans lui, j't'ais faite. J't'ais ti-cul et j'allais déjà y chercher sa bière dans le frigidaire. Après que ma mère nous a abandonnés, c'est moé qui faisais son lunch à 6h00 du matin... j'avais 5 ans. Le soir, avant de m'coucher, j'me rappelle qu'y m'donnait toujours un verre de lait, pour pas que je m'endorme l'estomac vide, comme y disait. On était pauvre... mais

on s'avait tous les deux. Moé j'y apportais sa bière, lui
mon verre de lait... qu'est-ce tu veux de plus ? C'est de
l'amour ça mon gars.

Simultanément, une scène de l'enfance du petit Roi
défilait dans son esprit.

Il se voyait encore, traînant Laurie ivre morte jusqu'à
son lit, alors qu'il n'avait que 7 ans. Jamais il ne lui faisait
le moindre reproche, pas même en pensée. Elle était sa
Reine, son Dieu à lui. Relevant la tête, il posa son menton sur ses poings. En cillant des paupières, deux chau-
des larmes s'étaient échappées sur ses joues rougies.

— Continue.
— Mon père avait deux passions dans la vie. Sa bière
pis ta mère. Deux passions qui l'ont tué. Y était fou
de Laurie. Ça commencé avant même que j'vienne au
monde. Y était un mordu de ses chansons, y avait toute
ses records. Ma mère trouvait ça un peu débile, mais
bon... anyway, à l'trouvait débile lui-même. Deux ans
après que ma mère est partie, la tienne est arrivée à
Montréal. Mon père a su ça et y s'est mis à la charcher
partout. Y savait toute su elle. Toute c' qu'à l'aimait, ses
dépendances, sa vie au complet. Ça fait qui s'est arran-
gé pour devenir son pusher. Pour lui, c'était le meilleur
moyen de s'approcher d'elle. La journée qu'y est revenu
de chez vous, la première fois qu'y l'a vu en personne,
j'pensais que le Bon Dieu y avait apparu. Y était blanc

comme un drap, pu capable de se r'fermer la bouche. Un vrai zombie, s'tie. Ça m'a fait peur. J'avais à peu près 7 ans et j' voyais déjà mon père crisser le camp... comme ma mère. J' freakais ben raide. Le lendemain, j'ai fait la pire bêtise de ma vie... j'ai cassé toute les disques de ta mère. Y a vu bleu... y m'a câlicé la pire volée de ma vie. Si la voisine était pas arrivé... y m'tuait, c'est sûr. J'me su r'trouvé à l'hôpital, mais je r'grettais pas mon geste. J'me disais qu'il l'oublierait peut-être, si y l'entendait pu à cœur de nuitte. C'est pas resté là. La DPJ s'en est mêlé et y m'ont placé. Y aurait été aussi ben de m'tuer. J'étais mort... anyway. Pis dans ma tête, l'assassin c'tait pas mon père, c'tait ta mère. C'est elle qui me l'avait volé. J' savais qu'y était prêt à toute pour elle. Pis, j'savais aussi que t'étais dans l'décor et que tu m'voleras mon père toé itou.

Un mouvement de recul délimitait la frontière de Joshua. La compassion se transformait graduellement en défensive. De quel droit pouvait-il traiter sa mère de criminelle, alors qu'elle était bel et bien la victime ici ? Elle qui n'avait jamais fait de mal ni de tort à personne. Il s'adossa, croisa maintenant les bras et fronça les sourcils, impatient d'entendre la suite.

La respiration de Tommy se faisait de plus en plus courte. La suite de son récit risquait de déclencher une avalanche d'émotions chez Joshua. Hélas, il était trop tard pour reculer. Il cala son visage au creux de ses mains, comme pour y puiser l'oxygène nécessaire pour plonger à nouveau dans ses aveux. Il passa ses deux mains dans ses cheveux et se massant la nuque, il continua :

—J'en ai passé des nuits blanches à monter mon plan. Y fallait qu'à débarrasse, que je r'trouve mon père.

Baissant la tête en signe de repentir, il remit l'enveloppe à Joshua, qui hésita un long moment avant de s'en emparer. Son cœur battait la chamade, ses mains crispées ouvraient nerveusement la missive... il respira longuement avant de lire :

Cher Jerry,

Je t'écris ce soir pour te dire adieu. Je ne veux plus te revoir, plus jamais. J'ai trouvé un autre pusher de qui je suis follement amoureuse. Je n'ai plus besoin de toi, ni de ton stock. Je ne t'aime pas, je ne t'ai jamais aimé. Je te demande pardon d'avoir profité de toi et de t'avoir fait croire que je t'aimais pour me procurer ma drogue, mais aujourd'hui c'est fini... fini pour toujours.

Oublie-moi... oublie tout.

Adieu
Laurie

En dépliant la lettre, Joshua avait aussitôt constaté qu'elle était signée «Laurie» mais que l'écriture n'était pas celle de sa mère. Il lut d'un trait le message inventé de toutes pièces. Serrant les dents, il chiffonna la lettre empoisonnée dans son poing serré et ferma les yeux en balançant la tête en signe d'incrédulité.

Tommy s'empressa d'expliquer qu'il avait profité de la complicité d'une pauvre femme éprise de son père, qui avait accepté d'écrire la lettre pour lui. Les mots se bousculaient dans sa bouche tellement il tentait de se justifier, de convaincre Joshua que jamais il n'aurait cru son père capable de tuer quelqu'un, surtout pas Laurie Brown. L'homme, qui jusque là s'était confessé en gardant son calme, se retrouva habité par l'enfant de 9 ans en lui, complètement terrorisé par la fin tragique de cette histoire.

Joshua ne pouvait pas entendre un mot de plus. Dans son esprit, la colère et la compassion, deux sentiments qui réclamaient leur droit d'exister, discutaient très fort. Le teint pâle, les jambes molles, il sentait monter une forte nausée. Il se leva tranquillement fuyant le regard implorant de Tommy, il demanda : « Gardien, ouvrez-moi... laissez-moi sortir d'ici. »

Tommy s'était recroquevillé en position fœtale sur sa couchette. Il ne fit rien pour retenir Joshua. De ses yeux terriblement tristes, il fixait la boule de papier gisant sur le plancher de sa cellule. Il comprenait que cette lettre, comme un boulet de canon, avait tué et blessé tant de gens. Se berçant pour apaiser la douleur atroce qui courait dans son ventre, de sa voix d'enfant, il implorait leur pardon : « pardon Laurie, pardon papa, pardon Joshua... et si vous ne le pouvez pas, Mon Dieu... pardonnez-moi ! »

Déjà loin, Joshua n'avait pas entendu la prière de Tommy. Dehors, les mains adossées contre le mur de pierre, l'homme vomissait le poison de la colère et de la violence.

Ce soir-là, ne trouvant pas le sommeil, Joshua se permit de téléphoner à Émilie.

Il était 12h58. La sonnerie du téléphone la réveilla brusquement :

— Joshua ? Mon Dieu...ça va ? Qu'y a-t-il ?

La voix éteinte de son mari résonnait si faiblement au bout du fil qu'elle s'inquiéta :

— Je ne t'entends presque pas...où es-tu ? Qu'est-ce qui se passe ? Parle-moi, je t'en prie. Tu es malade ?
— Je m'excuse de t'appeler si tard, mon amour. Je sais que nous avions convenu de prendre un recul et de ne pas nous parler pour quelques temps mais, aujourd'hui

j'ai tant besoin de toi, Émilie. Peux-tu m'écouter un peu ? Je dois parler à quelqu'un et toi, tu me connais tellement... je sais que tu me comprendras. Je... je reviens de loin... si tu savais.

— Je t'écoute, Joshua. Je suis là, calme-toi. Qu'est-ce qui s'est passé ? Tu es dans un tel état... respire bien et prends le temps... je suis là.

Ces derniers mots résonnaient une fois de plus en lui comme un baume sur son cœur d'enfant abandonné. Pourtant, c'était bien l'homme, l'adulte qui se sentait accueilli par la femme qu'il aimait. Il mit un peu plus d'une heure pour raconter à Émilie sa rencontre avec Tommy. Au bout du fil, elle entendait pour la première fois depuis l'attentat, la voix de Joshua, l'homme... l'humain qu'elle croyait avoir perdu. Émue et heureuse à la fois, elle entendait surtout la voix du coeur lui parler. Elle reconnaissait la bonté de l'homme qu'elle avait épousé. Joshua était conscient du processus de guérison qui suivait parfaitement les étapes vers une grande libération. Néanmoins, les marches de l'élévation de la conscience étaient hautes et demandaient autant d'humilité que d'amour inconditionnel pour arriver au pardon.

— Le pire Émilie, c'est que je me reconnais tellement en Tommy. Nous avons eu une enfance semblable lui et moi, tu sais. Je l'écoute parler et malgré son langage limité, j'entends la bonté dans son cœur et l'intelligence de son âme. Je suis conscient de tous les cadeaux que j'ai reçus de ma mère, malgré ses dépendances chroniques et même, malgré son départ. Tommy, lui, n'a pas connu un ange comme Mathilde après le départ de sa mère. Il a été privé de l'amour, de l'éducation et de l'instruction que j'ai reçus en abondance. Tu te rends compte ? Tous les messages que j'ai captés de l'autre côté du Pont de Cristal, tous les enseignements, les talents, ma carrière de chanteur dont j'ai joui et qui m'assure une indépendance financière... Et, au-delà de toutes ces bénédictions, il y a toi, Émilie... toi qui est mon soleil et qui met de la lumière partout dans ma vie. Toi et William, mon guerrier pacifique, Laurie ma petite princesse d'amour, Éloïse dont l'énergie de lumière éclaire nos vies. Je suis un être comblé, un homme entièrement conscient de la toute puissance de l'Amour en moi et autour de moi. Et au nom de cet Amour, j'irai demain accorder mon pardon sincère à Tommy.

Haut dans le ciel, le Guide de la joie avait rassemblé les Anges du pardon, pour célébrer une grande guérison karmique au plan terrestre.

Après avoir raccroché, Émilie rendit grâce à la Source pour avoir exaucé sa prière. À travers sa démarche thérapeutique, la jeune femme avait compris l'importance d'ouvrir son esprit à la vie spirituelle. Si Joshua avait un chemin à parcourir pour revenir sur terre, Émilie était consciente qu'elle avait des pas à faire pour élever son taux vibratoire. Dans la noirceur du tunnel qu'elle traversait depuis le retour de Joshua, la lumière s'était faite sur le Divin en elle. L'espoir de retrouver Joshua caressa son cœur encore amoureux, juste avant qu'elle ne s'endorme.

Tôt le lendemain matin, le couple s'était rendu au pénitencier. Joshua avait tenu à ce qu'Émilie vienne, en son nom et au nom des enfants, pardonner, elle-aussi, à Tommy son geste d'agression qui leur avait causé tant de mal. Elle avait consenti puisqu'elle savait que ce pardon libérerait en elle-même la colère destructrice qui ne l'avait pas quitté depuis le premier jour.

Lorsqu'ils se présentèrent à la salle des visiteurs et qu'ils demandèrent à voir Tommy, le gardien leur annonça qu'il était décédé au cours de la nuit, plus précisément à 2h00 du matin, au moment même où Joshua, par la toute puissance de l'amour Divin, lui accordait son pardon. Souffrant d'un cancer des intestins depuis plusieurs mois, Tommy savait que ses jours étaient comptés. Le pardon de Joshua et de sa lignée ouvrait toute grande la voie du Pont de Lumière jusqu'au Pont de Cristal.

À l'aube du troisième jour après la mort de Tommy, Joshua reçut l'inspiration d'un air nouveau qu'il s'empressa d'écrire en hommage au défunt et à tous ceux qui, sur l'autre rive, accueillaient son âme. Réunis dans la plus grande simplicité, Joshua, Émilie et les enfants s'étaient recueillis dans la petite chapelle où se tenaient les funérailles. Pour toute assistance, quelques amis, deux tantes et une jeune femme au dernier banc qui pleurait silencieusement. À ses côtés, une petite fille... très mignonne !

Joshua s'avança à l'orgue et joua pour l'âme du jeune homme l'air qu'il avait reçu des Anges le matin même et qu'il avait intitulé : « Du crépuscule à la Lumière ». Lorsqu'il prit la plume blanche pour lui écrire une lettre d'adieu, les paroles se déposèrent sur la musique qu'il venait de composer, comme si un chant d'adieu lui était inspiré tout naturellement. Il se rappela alors l'énergie du Guide de Lumière... qui s'était présenté ainsi :

« Je suis le représentant des arts et de la ***créativité***. À deux ans, tu commenceras à chanter et tu reconnaîtras ma voix. Je te suivrai pas à pas, tout au long de ton pèlerinage, car c'est par moi que tu te réaliseras. »[1]

À ce moment précis, Joshua comprit à quel point son âme avait besoin d'une voix pour s'exprimer, pour chanter la vie, la mort et la lumière. Il y avait si longtemps que le petit Roi n'avait plus chanté. Sur l'air qu'il avait composé, le messager déposa ces paroles pour tous ceux qui aimeraient chanter un hymne à la vie éternelle, un hommage à l'être cher de l'autre côté de la Vie !

---

1 • Le petit livre de Joshua - p. 212

« *Du crépuscule à la Lumière* »

Vous êtes si loin et pourtant en moi
Vous vivez serein au creux de mes bras
Je me sens si grand au bout de vos yeux
Tous les océans ne pourront éteindre ce feu

Vous êtes si loin et pourtant la nuit
Vous veillez sans fin berçant mon ennui
Mes rêves les plus doux
Se tissent dans vos yeux
Vous doigts sur mes joues
Sèchent nos larmes d'adieu

Lumière sur nos nuits, lumière sur nos jours
Espoir infini d'un éternel amour

Vous êtes si loin et pourtant il est là
Le doux bruit lointain et feutré de vos pas
Pourtant c'est bien moi qui s'avance vers vous
Je rentre enfin chez moi, me blottir tout contre vous
L'écho de vos pas me dit que je rentre chez Nous.

À la sortie de la chapelle, Joshua remit à chacun les paroles et la musique de ce chant d'adieu, les invitant à chanter chaque jour. « Chanter, c'est donner une voix angélique à votre âme pour parler doucement à l'oreille de Dieu... » leur dit-il, souriant.

chapítre neuf
Ave Maria

Après la cérémonie, Joshua avait ressenti le besoin de se recueillir seul dans l'enceinte sacrée de la chapelle. Il avait proposé à Émilie de les rejoindre un peu plus tard à la maison. Les évènements des derniers jours avaient permis au couple fragile de solidifier la base de leur union et de créer un espace propice à l'échange. Le repas du soir se prendrait donc en famille, au plus grand bonheur des enfants qui avaient vécu difficilement les derniè-res semaines en garde partagée. Tel que l'avait proposé Émilie, les parents se relayaient auprès d'eux, se permet-tant à tour de rôle un séjour de solitude et de soins dans la Baie des Chaleurs. Émilie en avait profité pour s'offrir un accompagnement thérapeutique sur tous les plans. La méditation, la marche, les massages et les rencontres avec sa psychothérapeute la soutenaient grandement dans ce passage étroit. Elle avait compris l'importance d'accepter le soutien des autres, surtout lorsque les responsabilités familiales viennent enterrer les besoins essentiels de l'Être. La jeune maman savait aussi qu'il fallait d'abord bien se nourrir pour pouvoir nourrir les autres, mais elle était aussi consciente que, parfois dans la vie, il y a des moments où on a le sentiment de ne pas pouvoir être là pour Soi... que la vie des autres dépend de nous et qu'il n'y a pas d'issue possible.

Pour sa part, Joshua vivait sa transformation à travers l'inspiration musicale qui continuait de couler à flot. Durant son séjour en Gaspésie, il se rendait tous les jours à l'église pour jouer sur le petit bijou d'orgue Casavant miraculeusement conservé dans son état original depuis 1912. La vie lui faisait le cadeau de découvrir cet instrument majestueux puisque le curé, grand amateur de musique, lui avait donné la permission d'aller en jouer quand il voulait. Séduit par l'âme de cet instrument, le musicien avait entrepris des cours intensifs à l'orgue pour la durée de son passage dans la région.

Il aura fallu que cette crise éclate au sein du couple pour qu'Émilie et Joshua prennent conscience de l'urgence de répondre à leurs besoins respectifs pour ensuite mieux prendre soin de leur relation amoureuse. Les enfants ne pouvaient se sentir en sécurité que si l'amour vibrait au cœur de la famille et dans le couple qui leur avait donné la vie.

Au premier banc de la chapelle, dans le calme de l'âme, Joshua livrait son dernier message à Tommy. Il connaissait le pouvoir des mots, mais aussi celui du silence. Libérés par la puissance du pardon, les deux âmes pouvaient maintenant communier. Tommy se trouvait devant le Pont de Cristal, prêt à entrer « Chez Lui » dans ce monde de paix et d'amour d'où Joshua avait tant de peine à revenir. Une dernière fois, le prisonnier libéré se retourna pour capter les pensées de Joshua :

« Mon frère... te voilà en route vers Ta demeure. Vas en paix, sachant que tu as déjà réparé les torts que tu nous as faits. Je connais le monde qui t'attend de l'autre côté du Pont de Cristal et je sais que l'Amour de Dieu t'enveloppe déjà de sa miséricorde. Ton récit m'a profondément touché, Tommy. J'ai visité des mondes de ténèbres et de lumières dans ma vie et j'ai compris en écoutant ton histoire que le diable n'existe pas... que ce n'est qu'un nom que nous avons donné à l'absence de Dieu. Que les ténèbres n'existent pas non plus... qu'il ne s'agit que de l'absence de Lumière. La foi n'est rien d'autre que la connaissance du pouvoir de l'Amour. La lumière divine n'a qu'un moyen de transport... l'Amour. Ne l'oublie pas, ne l'oublie plus jamais. Nos parents ont souffert de ce manque d'amour, leurs parents aussi et depuis des générations, les hommes souffrent de l'absence de cet amour sur la terre. Là où tu t'en vas mon frère, l'amour règne partout. Vas t'y reposer... tu as bien travaillé. Je me ferai un devoir de raconter ton histoire afin d'ouvrir les consciences à l'importance d'aimer les enfants qui s'incarnent à travers nous. Sans que tu le saches, mon ami, tu as été aussi un messager. Sans le savoir, tu as éveillé des consciences. L'essentiel, tu l'as accompli... tu as reconnu l'amour en Toi. Vas, maintenant... je vois ta mère, une rose à la main, qui t'attend au bout du Pont de Cristal. »

Joshua s'avança dans la nef, alluma un lampion pour le salut de l'âme de son frère et se tourna vers la sortie. Il n'avait pas entendu les pas de la jeune femme et de la petite fille qui l'attendaient sur le seuil de la porte. L'enfant aux cheveux dorés et aux yeux bleus comme la mer laissa la main de sa maman et s'avança souriante vers lui. Elle devait avoir quatre ans. De son autre main cachée derrière son dos, elle fit apparaître une rose rouge sur laquelle scintillaient des perles de pluies. Fière de son tour de magie, elle l'offrit à Joshua :

— Merci pour ta belle chanson... lui dit-elle timidement, en regardant sa maman qui, d'un clin d'œil discret, la félicitait.

Joshua s'accroupit devant l'Ange :

— Ah! Qu'elle est belle cette rose ! Merci... Comment tu t'appelles ?

— Rosalie... papa m'appelait toujours sa petite fleur !

Le cœur de Joshua se serra si fort qu'il crut éclater en sanglots, mais il eut vite fait de se ressaisir. D'un regard inquisiteur, il se tourna ver la mère. Pour toute réponse, elle lui fit un triste sourire lui confirmant qu'il s'agissait bien de l'enfant de Tommy.

— Est-ce que tu sais mon Ange qu'il t'aime très fort ton papa ?

— Bien sûr... il me le disait tous les jours dans son cœur. Je l'ai pas vu souvent, mais il disait que j'étais la plus belle de toutes les petites filles de la terre. Il nous aimait maman et moi, tu sais. C'est parce qu'il était malade qu'il ne venait pas nous voir. La prison c'est comme un hôpital. C'est pour pas qu'on attrape leur « mal » qu'il faut qu'il reste là, tu comprends ?

Subjugué par l'intelligence de la petite Rosalie, Joshua vérifiait constamment du regard auprès de la mère pour s'assurer qu'il ne rêvait pas. L'enfant avait hérité de la beauté et du charisme de sa maman, qui, elle aussi, ressemblait à un ange. Il comprit alors que l'intelligence du cœur de Tommy avait franchi les frontières des préjugés et que cette femme simple et lumineuse était tombée amoureuse de lui. Cette petite Rosalie était sans doute née du Grand Plan et sa mère avait dû choisir de la garder, de l'aimer et de l'élever, en l'assurant de l'amour de son père absent et malade.

Joshua tendit les bras à la petite fleur de Tommy, qui sans hésiter s'accrocha à son cou. Elle lui dit à l'oreille :

— C'est papa qui m'a dit de te donner la rose. Je l'ai cueillie dans notre rosier... juste pour toi.

— Il t'a dit ça avant de mourir ?

— Non... il m'a dit ça dans mon rêve, quand je dormais pendant la messe tout à l'heure. Papa, il vient toujours me voir dans mes rêves. Est-ce qu'il va venir encore maintenant qu'il est mort ?

— Je crois que oui... tu vois, il t'a déjà fait une première visite. Le plus important mon ange, c'est que tu continues de savoir qu'il habite dans ton cœur et qu'il veillera toujours, toujours sur toi.

— Maman, tu as entendu ? Le monsieur, il dit comme toi !

Elle se tourna à nouveau vers Joshua :

— Elle me dit ça tous les soirs, maman. Elle le scruta en silence de la tête aux pieds... Toi, est-ce que tu as des enfants ?

Elle le trouvait beau, grand et bien habillé, comme si elle enviait déjà les enfants qu'il avait peut-être.

— Eh oui ! J'ai deux belles petites filles comme toi et un petit garçon.

— Comment ils s'appellent ?

— William, Laurie et Éloïse.

— Elle a quel âge Laurie ?

— Elle a 6 ans... et toi ?

— 5 ans... mentit-elle en regardant sa mère.

— Pas encore ma chérie... mais bientôt.

Joshua entendait la voix d'Isabelle pour la première fois depuis son entretien avec Rosalie. Il luit tendit la main :

— Joshua Brown, madame.
— Je sais qui vous êtes monsieur Brown. Enchantée... Isabelle Marceau.

Elle baissa les yeux, comme si, pour un moment, elle portait la honte du geste de Tommy. Isabelle ignorait que les deux hommes s'étaient rencontrés quelques jours auparavant.

— Vous êtes très courageuse de venir vers moi aujourd'hui. Je vous admire et je vous remercie du fond du cœur de m'avoir fait confiance.

— Je connais vos enseignements et j'ai suivi votre carrière de chanteur. Je sais que vous avez écrit cette chanson pour Tommy et pour nous. Je l'enseignerai à Rosalie, vous pouvez compter sur moi.

Ému, Joshua ne trouvait pas les mots pour exprimer sa reconnaissance. Il sourit et posa sa main sur l'épaule d'Isabelle.

— Sachez que Tommy sera aussi le gardien de votre vie. L'amour que vous lui portez se lit dans vos yeux et, croyez-moi, de l'au-delà il vous le retourne déjà multiplié.

Elle tourna la tête pour ne pas que Rosalie voit son chagrin. Isabelle n'avait jamais montré sa fatigue, sa peine et encore moins sa colère à sa fille. Après la naissance de l'enfant, Tommy était resté avec elles quelques mois. Sa consommation d'alcool et de drogues leur rendait la vie infernale. Sans travail, sans argent, il volait celui d'Isabelle qui arrivait à peine à joindre les deux bouts. Forcée d'admettre qu'elle ne pouvait plus continuer à vivre ainsi, elle avait dû le mettre à la porte avec sa petite valise, son manteau trop grand et ses souliers troués. Son cœur de femme et de mère avait saigné, mais elle savait que le plus grand geste d'amour qu'elle pouvait poser, était de le laisser tomber au fond de lui-même... là où la lumière lui apparaîtrait. Elle aimait l'homme qu'il était vraiment, mais non pas celui qu'il était devenu dans les ténèbres des dépendances.

Ils s'étaient rencontrés dans les corridors du CLSC où la jeune femme travaillait comme réceptionniste. Tommy était arrivé au bout d'un long chemin vers la réhabilitation. Isabelle s'était permise de lui faire confiance et de s'abandonner à ses sentiments amoureux. Hélas ! Peu de temps après la naissance de Rosalie, Tommy rechuta et sombra encore plus profondément dans l'enfer de la drogue. Contrairement à la mère de Tommy, Isabelle ne partirait pas en laissant sa fille à son père malade. Par amour pour Rosalie, pour Tommy et pour elle-même... elle le quitterait. Une fois à la rue, la victime chercherait le coupable, celui qui l'avait jeté au fond du puits des ténèbres. La blessure de l'abandon de sa mère était trop profonde pour qu'il puisse la soigner seul. Contrairement à lui, Joshua avait survécu au départ de sa maman. Mieux encore... il avait grandi et évolué à travers la mort de Laurie. Aux yeux de Tommy, Joshua n'avait pas le droit à ce bonheur si inaccessible pour lui. Le soir de l'attentat, son plan initial était de s'enlever la vie, mais juste avant de se mettre une balle dans la tête, il décida d'amener le petit Roi avec lui. Heureusement, le dessein divin allait se tracer autrement.

— Merci, Joshua. Vous savez, ce fut très difficile pour moi de couper le cordon avec Tommy... de lui remettre la responsabilité de sa vie et de reprendre la mienne. Je savais qu'il y avait de fortes chances qu'il commette l'irréparable. Le soir où j'ai entendu aux nouvelles que vous aviez été victime d'un attentat, je savais que c'était lui. J'étais furieuse qu'il s'en prenne à vous, à votre famille et surtout à un homme qui fait tant de bien sur la terre. Honnêtement, je vous confierai que je souhaitais qu'il ne se manque pas, parce que j'étais certaine qu'il tenterait de mettre fin à ses jours. Ma colère redoubla lorsque j'ai appris qu'il avait été arrêté avant de poser le geste. J'ai prié avec Rosalie pour que Dieu vous garde parmi nous. J'ai prié seule, pour qu'Il vienne le chercher. Pourtant, vous vous en doutez sûrement... je l'aime profondément. Je souhaitais sa mort comme on souhaite à l'oiseau pris au piège de se libérer et de s'envoler. Plus encore, si j'avais pu le détacher, je l'aurais fait. Au cours derniers jours, la vie m'a appris qu'il existe une intelligence supérieure qui s'occupe de ces libérations. J'ai compris aussi que le suicide peut prendre bien des formes. Tommy a passé sa vie à se l'enlever ; à se détruire, à se tuer à petit feu. Vous ne l'avez pas connu, mais moi je peux vous parler de l'homme intelligent, généreux, sensible, bourré de talents et qui avait un sens de l'humour extraordinaire. Au cœur de ce petit garçon mal aimé, brille une âme aussi scintillante qu'un diamant.

Elle fit une pause, baissa les paupières et laissa à nouveau glisser son chagrin sur ses joues. Comme si elle avait compris le besoin de sa maman de se confier à Joshua, Rosalie s'était éclipsée. Devant la statue de la Vierge, la petite se trouvait en grande conversation avec la Madone, intriguée qu'elle était par la présence du serpent enroulé autour de Ses pieds.

Joshua demeurait muet sachant que l'hommage d'Isabelle se rendait droit au cœur de Tommy. Elle continua :

— Voilà, j'avais besoin de vous dire tout ça, ici, aujourd'hui. C'est un peu ma rose de guérison pour mon amour.

Au même moment, le cri joyeux de l'enfant courant vers sa maman venait sceller cette communion d'âmes.

— Maman, maman... regarde, c'est pour toi ! C'est la madame dans la belle robe bleue là-bas qui te la donne !

Au creux de sa petite main, l'Ange tenait une rose blanche qu'elle avait cueillie dans la corbeille aux pieds de la Vierge. De l'autre côté du Pont de Cristal, Tommy, serein, avançait sans se retourner. Dans la chapelle, un rayon de soleil traversait le vitrail, inondant Rosalie de la lumière de son père, bénédiction qui l'accompagnerait tout au long de son chemin de vie.

Au moment de quitter l'église, Joshua sentit soudain un courant irrésistible l'entraîner vers l'orgue. Une combinaison de jeux différents s'imposa à lui et il se mit à jouer les quatre mouvements d'un poème symphonique qu'il avait ébauché au cours des jours précédents.

Aux côtés d'Isabelle et de Rosalie, se tenaient fièrement les quatre Guides de Lumière du Petit livre de Joshua. Ils s'étaient réunis aux premières loges, transmettant leurs énergies de guérison à travers les tuyaux de l'orgue et la vibration des cordes des violons et du violoncelle joués par les Anges de la traversée. Ce troisième air composé par le musicien, venait droit du Guide de la « *beauté*, de la *grâce* et du *charisme* », traduisant parfaitement l'énergie de Rosalie.

Le quatrième, un air léger et joyeux, soutenait la présence du Guide de *l'humour*... celui de Tommy, maintenant sorti de l'ombre et de la tristesse. Les Anges s'en donnaient à cœur joie au bout de leurs archets, invitant l'esprit de l'homme à rejoindre celui de l'enfant en lui.

Dans sa *dignité*, le cinquième Guide ouvrait la marche funèbre. Cet air de pureté et de noblesse accompagnait l'âme de Tommy vers sa nouvelle vie. À l'image du compositeur, cet air sacré élevait l'âme dans sa quête de vérité.

Arrivé à la dernière pièce, il sut instinctivement qu'il devait transposer la musique de façon à la jouer uniquement de la main gauche et du pédalier. C'est alors que le miracle se produisit : sa main droite commença à interpréter d'elle-même un aria à la fois doux et solennel, pendant que dans sa tête les paroles de l'Ave Maria défilaient sur la mélodie qu'il créait.

Le Guide de *l'Intelligence*, représenté par l'énergie féminine, s'était manifesté par l'échange de roses de la Mère à l'enfant et ensuite, de l'enfant à la mère. En se réveillant ce matin-là, Joshua ignorait tout de cette rencontre avec Rosalie et Isabelle. Pourtant, l'inspiration de cet Ave Maria s'était glissée à son oreille comme par enchantement, pour venir bercer le cœur de tous les enfants de la terre... petits et grands ! Joshua n'oublierait jamais l'image de la petite fille qui s'était endormie sur l'épaule de sa maman, au son de ce magnifique adagio venu droit du ciel !

chapitre dix
Lumière sur notre amour

En ouvrant la porte, Joshua fut accueilli par les arômes appétissants venant de la cuisine et par la plus belle musique au monde, celle des éclats de rire des enfants mêlés à la voix joyeuse d'Émilie. Il y avait longtemps qu'il n'avait pas baigné dans cette atmosphère chaleureuse et si réconfortante. Sans même enlever son manteau, il s'assit dans le vestibule, ferma les yeux et écouta la symphonie du bonheur. L'image si triste de Tommy mourant seul dans la froideur de sa cellule apparut soudainement à son esprit, comme pour lui faire prendre conscience de l'abondance de l'amour qui l'entourait. Il s'arrêta et prit le temps de rendre grâce.

Lorsqu'il s'avança vers la cuisine, le père heureux contempla un tableau magnifique. Émilie préparait le souper, William plaçait minutieusement les ustensiles sur la table, tandis que Laurie nourrissait sa petite sœur au minois tout barbouillé de potage de brocoli. En apercevant son papa, la petite Éloïse poussa un cri de joie ! Chacun cessa son activité pour venir l'embrasser. Émilie se réserva la dernière place, désireuse d'une longue étreinte. Joshua la serra fort contre son cœur et lui murmura : « Je t'aime ». Elle lui répondit par un tendre baiser. La joie des enfants flottait dans l'air. Ils sautillaient, riaient et jacassaient à tue tête. Quelque chose s'était passée. Ils ne savaient pas quoi... mais ça sentait bon l'amour dans la famille !

Autour de la table, la conversation s'animait. William, en bon guerrier qu'il était, avait des questions pour les grands. Un morceau du casse-tête lui manquait. Il savait ses parents capables d'une bonté infinie mais, dans son cœur d'enfant de 8 ans, quelque chose clochait.

— Moi papa, je ne comprends pas pourquoi on devait aller à l'église aujourd'hui et prier pour celui qui a tiré un coup de fusil sur toi. Je trouve que c'est pas juste qu'il ait fait ça et je suis encore fâché après lui. Tu as failli mourir...

William s'arrêta pour éviter le pire : il ne fallait surtout qu'il se mette à pleurer devant ses petites sœurs. Il croisa les bras, balançant ses petits pieds sous la table, cherchant à maîtriser la situation. Il commençait à regretter de s'être engagé sur ce terrain glissant. Il poursuivit avec une moue traduisant son désaccord et un brin de jalousie :

— Toi, on dirait même que tu l'aimes.

Émilie et Joshua échangèrent un regard de tendresse pour leur fils.

— Est-ce que tu aurais aimé pouvoir lui parler avant qu'il meure ? lui demanda Joshua.
— Oh ! oui...
— Et qu'est-ce que tu lui aurais dit, Willie ?

Bondissant de sa chaise, il se plaça devant un personnage fictif, posa ses mains sur ses hanches et d'une voix émouvante, lui dit :
— T'es pas fin. T'avais pas le droit de tirer sur mon père. Il ne t'a rien fait mon père lui. Mon père c'est le plus fort et toi tu es lâche. Tu l'as attaqué sans avertir et il ne pouvait pas se défendre, sinon c'est toi qui serais mort. Tu sais pas te battre. Quand on fait la guerre, il faut que notre ennemi peut se défendre. Toi tu as tiré sans raison, juste parce que t'es méchant. T'es un méchant, je te hais. Je suis bien content que tu sois mort. Tu...tu... !

De gros sanglots l'étouffèrent. Il s'écria :

— Maman...

Il se jeta sur Émilie pour cacher son visage en pleurs dans ses cuisses. Au bout de sa rage, son chagrin avait éclaté. Le pauvre petit homme avait enfin pu exprimer sa colère contre cet homme venu de nulle part piétiner son enfance, lui prendre une partie de son père. Joshua se leva calmement, le prit dans ses bras et l'amena au salon. En le laissant finir de se vider le cœur, il le consola en lui disant qu'il le comprenait parfaitement et qu'il avait lui aussi fait une grosse colère avant de pouvoir pardonner à son agresseur. Surtout, il lui rappela qu'il n'était pas tenu de lui pardonner maintenant, qu'il pourrait le faire au moment où, dans son cœur, il ne ressentirait plus la présence du mal.

— Un jour, quand tu le voudras, William, papa te racontera l'histoire de Tommy. Peut-être que ça t'aidera à mieux comprendre et à pardonner toi aussi. Moi, j'ai pu lui parler la veille de son décès, tu vois ? Je ne suis pas d'accord avec son geste. Comme toi, je n'accepte pas la violence. Par contre, j'ai compris toute la souffrance qu'il portait dans son cœur de petit garçon et ça m'a aidé à comprendre pourquoi il s'en était pris à moi.

William demeurait sceptique... mais bon, se disait-il, au moins son papa se portait de mieux en mieux et ce soir là, ses parents s'étaient embrassés.

Une fois les enfants au lit, le couple se retrouva au salon devant le feu de foyer. À chaque bout du canapé, face à face, Émilie et Joshua se réunissaient pour la première fois depuis la tempête devant le feu sur la plage. Dans le calme de la pénombre, les flammes vacillaient, le bois brûlant se lamentait, leurs cœurs se réchauffaient. Un tendre sourire précéda les premiers mots de Joshua :

— Comment ça va, toi ?

— Bien... de mieux en mieux. Je me sens plus calme et moins seule depuis que je prends soin de moi. C'est pas facile par bouts, mais je sais que c'est nécessaire. Tu me manques, tu sais...

— Tu me manques aussi... terriblement.

Émilie avançait prudemment. Sa rencontre avec la femme en elle était toute récente. Consciente de sa difficulté à demeurer présente à elle-même, à se tenir par la main, elle surveillait l'autre partie d'elle-même qui voulait plaire et épargner l'autre. Sa psychothérapeute lui avait fait prendre conscience de l'importance de parler de ce qu'elle ressentait. Elle fit un pas de plus et ajouta :

— Ce manque me fait réaliser à quel point je suis en symbiose avec toi... comme je l'étais avec maman. Je m'aperçois aussi que je suis en train de répéter ce pattern avec les enfants. Je me fonds dans ceux que j'aime. Je me donne et je m'oublie. Et si je m'oublie, je n'ai rien à donner, n'est-ce pas ?

Elle avait prononcé cette dernière phrase sur un ton de mépris envers elle-même, comme si elle s'en était voulu d'avoir pris autant de temps pour comprendre une chose aussi simple. Joshua reconnaissait la sévérité d'Émilie envers elle-même. Il aurait voulu lui dire qu'elle était la seule à exiger la perfection dans tout ce qu'elle faisait mais il préféra la laisser continuer et écouter.

Elle respira profondément, expirant d'un lourd soupir sa grande fatigue.

— Tout au long de ton séjour à l'hôpital, je ne vivais qu'en fonction de toi. Je respirais pour toi. Je mangeais pour toi. Je m'accrochais à la vie, pour toi. Je n'existais plus pour moi ; à la fin de la journée, je donnais aux enfants le peu d'énergie qu'il me restait. Je crois que c'est normal, que je ne pouvais pas faire autrement. J'étais en survie et mon oxygène, je le trouvais dans l'espoir de ta guérison. Alors, voilà... je me suis coupée de ma source... et là, eh bien, je suis à plat et j'essaie de me refaire une santé à tous les niveaux.

Après un long silence dans lequel elle puisait le courage de nommer son état d'âme, elle reprit :

— C'est difficile pour moi de prononcer le mot « dépression ». Une mère en dépression c'est comme un médecin malade... qui prendra soin de ceux qui en dépendent ? C'est dur pour moi d'admettre mon impuissance devant mon corps qui ne répond plus. C'est très dur... Joshua.

Son cœur se gonfla dans sa poitrine. Son visage rougit et ses yeux se mouillèrent. Elle déglutit, essuya une larme et s'empressa de retourner le projecteur sur lui :

— Et toi, ça va ?
— Laisse Émilie... ce n'est pas de moi qu'on parle ici. Ça fait mal, dis ?

Doucement, comme pour l'apprivoiser, il s'approcha et déposa les mains sur ses genoux.

— Tu as froid ? Tu trembles. Aie ! Je suis là maintenant. Je suis avec toi et je t'écoute. Parle-moi ! Ne cherche pas à m'épargner ou à me sécuriser, je suis un adulte et comme toi, je traverse une grande transformation. J'ai besoin de toi Émilie, mais je ne dépends pas de toi... tu comprends ? Ce soir, je suis là pour toi. À mon tour, je t'accompagne. Allez, viens dans mes bras.

Il l'enveloppa tendrement de son aile, caressant son front et ses cheveux. Il berça son épuisement.

— Et si tu veux, tu peux juste rester comme ça, blottie contre moi... sans rien dire.

Ces mots, cette présence, cet amour, elle les attendait depuis si longtemps. Elle pouvait enfin s'abandonner et accueillir ce soutien tant espéré de son amoureux. Elle inspira profondément et, courageusement, elle poursuivit :

— Tu sais Joshua, ce n'est pas facile de vivre une relation amoureuse avec un homme comme toi. Ce n'est pas un reproche que je te fais, mais parfois je me demande s'il y a une place dans ta vie pour une femme et des enfants. Je ne sais plus si je veux de cette vie étalée sur place publique. En même temps, je comprends très ta position. Tu as connu la gloire, la scène, la créa et tout ce qui entoure la vie artistique. Les gens t'adulent pour tes dons et tu...

— Émilie, s'il te plaît... reviens à toi.

— Oui, je sais. Il est là mon problème. Eh bien, voilà ! Je ne sais plus si je peux te suivre. Je ne comprends pas toujours ton langage et je me sens si loin de toi parfois. On ne rit plus ensemble. C'est lourd et compliqué. Je m'ennuie tellement de nous deux, de notre joie de vivre et de nos projets. Depuis que tu es revenu, j'ai souvent l'impression de vivre avec un fantôme. Qu'est-ce qui nous arrive Joshua ? Est-ce que l'au-delà m'a pris mon mari ? Est-ce que tu veux y retourner ? Est-ce que...

Émilie éclata en larmes. Elle avait regagné son coin du canapé pour pouvoir se livrer plus librement. Joshua voulu la reprendre dans ses bras mais elle lui refusa cette proximité. Elle avait besoin de délimiter son territoire. Elle ne voulait pas se fondre en lui. Elle ne cherchait pas à être consolée. Elle avait besoin de l'entendre à son tour, de savoir où il en était. Un moment de silence 'imposait. Tous deux réfléchissaient, hypnotisés par les ...mes. Lentement, Joshua reprit :

...va pas croire que je sois au-dessus de tout ça. ... aussi de mon côté. Je ne savais pas que ...endant de ta présence physique. Quand ...t comme si le pivot de la famille n'y ...sion que je n'ai pas le talent d'être ...erçois que je n'ai aucun modèle ...e absent pour les enfants. Cette ...ivre beaucoup de détachement et à la fois un grand rapprochement avec eux et avec moi-même. Quant à toi, je réalise que je t'ai perdue de vue dans tous les rôles que tu occupes. Mon amoureuse s'est fondue dans trop de responsabilités et je n'ai pas su la nourrir, comme je n'ai pas su nourrir l'homme en moi. Je ne sais pas si tu me suis, j'ai l'impression que c'est un peu confus mon affaire.

— Pas du tout, je te suis très bien et si tu savais comme j'ai besoin d'entendre ce que tu me dis là, Joshua. Enfin tu parles la langue des humains, celle que je comprends. Continue, je t'en prie.

— Eh bien... la solitude m'offre un espace d'où je peux m'observer pour prendre du recul. Je réalise toute la place que je prends dans notre couple. Même avant l'attentat, je n'étais pas « présent ». Je suis conscient qu'à travers ma mission et ma personnalité forte, mon ego m'a joué des tours. Mon passage dans la lumière m'a confronté à l'humilité, tu vois. À travers la relation d'aide et surtout lorsqu'on a un don mystique, le piège de l'ego est toujours là. J'en suis venu à croire que c'était moi qui guérissais, qui éveillais les consciences, qui sauvais le monde. Maintenant que je prends soin de moi-même je sais que l'être humain est le seul à posséder le pouvoir de se guérir. Le guérisseur est en nous. Tous les intervenants, traitements et médicaments sont des outils. Pendant un certain temps, j'ai oublié que j'étais l'instrument du divin et c'est là que l'ego m'a présenté le piédestal duquel Tommy m'a descendu. De ce point de vue, j'avais perdu la perspective de l'homme que je suis et je me suis cru invincible. Il aura fallu qu'une balle siffle à l'oreille de mon cœur pour me ramener à Moi... à l'essentiel. Pourquoi tu penses qu'il m'était si difficile de revenir dans mon corps, dans la vraie vie... celle de l'humain que je suis vraiment, avec mes forces et mes faiblesses, avec mes peurs et mes rêves ? Il aura fallu que Tommy se dévoile dans toute son humanité pour que je comprenne que, comme lui, je suis aussi un être humain avec des blessures à soigner, des joies à vivre et des enfants à aimer. Je sais maintenant que si je ne me réincarne pas complètement, je vais vous perdre, mais surtout que je vais Me perdre. Ce soir là, autour du feu sur la plage, tu as brisé ma coquille pour m'aider à sortir de « l'entre deux mondes ». Merci Émilie, pour ton courage.

Ils pleuraient de soulagement comme s'ils étaient passés à un cheveu d'un accident mortel.

Émilie reprit :

— Je ne sais pas si on peut appeler ça du courage. J'ai plutôt le sentiment de m'être rendue trop loin, d'avoir attendu trop longtemps. La violence avec laquelle j'ai exprimé ma détresse n'est pas nécessaire, je crois. Je n'ai pas l'intention de refouler et d'attendre aussi longtemps pour exprimer ce qui ne va pas et ce dont j'ai besoin à l'avenir. En thérapie, j'apprends à communiquer avec moi-même d'abord, à écouter ma petite voix intérieure et lui répondre. C'est déjà un grand pas pour moi. Comme toi, je n'ai pas de modèle de couple qui communique. Je ne sais pas comment faire, mais une chose est certaine, je veux apprendre. Je veux te rejoindre, te retrouver... je tiens à toi, mon amour.

Joshua entendait enfin le cœur d'Émilie parler au sien. Il lui prit la main et lui dit :

— Je suis là... complètement là. Je t'aime. Je vous aime. Je rentre chez nous. Et toi ?

La chaleur d'un feu ardent monta en elle. Le désir se frayait un chemin à travers tous ses membres. Elle n'avait qu'une envie...l'embrasser. Elle le chevaucha délicatement. Caressant son visage, elle fixait son regard enflammé. Leurs cœurs battaient au même rythme...fort. De son index elle caressa les lèvres qu'elle s'apprêtait à baiser tendrement. Tenant la tête de son amoureuse entre ses mains, Joshua l'attira vers lui. Brûlant du même désir, pour la première fois depuis son retour, l'homme retrouvait sa virilité, sa passion, son corps.

Nue, debout devant lui, la femme sensuelle s'élevait dans la splendeur de sa féminité. Échevelée, fougueuse, Émilie s'offrait entière à l'homme qu'elle aimait. À la lueur du feu, Joshua lui fit l'amour passionnément et durant tout le reste de la nuit, ils s'aimèrent.

Dans l'âtre de la cheminée mouraient doucement les dernières braises témoins de leur nuit d'amour.

Au lever du jour, comme le plus doux des réveils matin, le babillage d'Éloïse résonnait à l'étage. Joshua monta chercher la petite. En posant la tête toute chaude de l'enfant sur sa joue, une douce mélodie se glissa à l'oreille du musicien. Il descendit et s'installa au piano.

Tenant Éloïse sur son genou gauche, de la main droite il donnait une voix à l'inspiration de cet air magnifique. Émilie s'approcha de la scène touchante prit Éloïse et fit signe à Joshua de continuer à jouer. Une douce mélodie commençait à se dessiner au bout des doigts du pianiste. En quelques minutes à peine, le compositeur compléta sa création. Sûre que cette musique exprimait le bonheur de leur nuit d'amour dans toute sa splendeur, Émilie mit doucement la main sur l'épaule de Joshua. En se retournant, il vit son sourire rayonnant de tendresse. En hochant la tête, elle lui demanda :

—Je peux lui donner un titre ?

— Bien sûr !

— « Lumière sur notre amour ». Tu veux bien la jouer une autre fois... pour nous ?

Le septième Guide de Lumière se leva, heureux de ces retrouvailles et fier de sa ***détermination***.

chapítre onze
Au Jardin des Enfants de Lumières

Les mois qui suivirent s'écoulèrent en douceur dans l'esprit des retrouvailles. Émilie et Joshua continuaient à prendre soin l'un de l'autre avec l'intention de prioriser l'harmonie dans leur couple. Après deux mois de repos et de soins, Émilie avait rapatrié ses forces et son élan pour reprendre le travail. De son côté, Joshua avait choisi de s'offrir une année sabbatique qu'il passerait à la maison à écrire et à prendre soin de sa femme et de ses enfants. Jamais il ne s'était permis une telle liberté. Ce temps d'arrêt lui permettrait de faire le point et de se mettre à l'écoute de l'essentiel. La phrase de son ami Jean était restée bien imprégnée dans son esprit : « Un seul souhait... demeurez fidèle à votre mission ».

Au fil des ans et à travers les milliers de témoignages qu'il avait reçus de l'au-delà, le messager demeurait toujours aussi sensible à l'ultime blessure des parents qui ont perdu un enfant et il ressentait une grande compassion à leur endroit. Il acceptait difficilement son incapacité à pouvoir répondre aux centaines d'appels de détresse. Il ne le savait pas encore mais, cette année de retraite lui ouvrirait la porte du Jardin des Enfants de Lumières désireux aussi de communiquer avec leurs familles d'âmes.

Ce matin-là, dans la tranquillité de la forêt, Joshua s'était recueilli en position de lotus sur le bord d'un ruisseau. Les rayons du soleil se frayaient un chemin à travers les arbres jusqu'à son visage. Chaque inspiration de cet oxygène si pur remplissait son être d'une paix incommensurable. Au cœur de sa méditation, il se sentit tout doucement habité d'une telle joie qu'un sourire se dessina spontanément sur ses lèvres. Au même moment, une voix pure se mit à fredonner un air joyeux à son oreille. Ému, Joshua reconnut la voix mélodieuse de Mélanie, l'Enfant Maître, cette merveilleuse fillette qu'il avait accompagnée dans sa traversée douze ans plus tôt, alors qu'elle avait aussi douze ans. Heureux et surpris à la fois de cette visite inattendue, le messager s'empressa d'accueillir l'Ange venu droit du ciel. Il ouvrit les yeux et aperçut, stupéfait, de minuscules lumières tournoyer autour de sa tête. En s'animant à tour de rôle, chaque étoile émettait un son, jouait sa note sur les cordes de violons et de violoncelles. Se retournant de tous côtés, Joshua cherchait à voir sa précieuse amie, celle qui portait des diamants dans ses yeux. Sournoisement, la petite voix du mental se faufila à son oreille pour lui murmurer : « Ce n'est que ton imagination Joshua... ne l'oublie pas ! » Sans hésiter, il s'empressa de mettre la main sur la bouche de son gardien de sécurité qui cherchait à le protéger de la folie. Depuis longtemps, le messager savait que le monde de l'invisible était tout aussi vivant que le monde matériel et qu'il pouvait y entrer et en sortir à son gré. Il poursuivit donc sans crainte ce voyage à travers cette fantastique visualisation.

Comme il avait manifesté son désir de voir Mélanie, voilà que les lumières sonores commencèrent à se déplacer en file indienne pour le guider vers son amie. Dans sa candeur d'enfant, il se leva et les suivit. Un sentier parsemé de fleurs sauvages, de fougères et de plantes médicinales dégageait des arômes des plus apaisants. Un bruit de craquement de feuilles mortes attira son attention sur sa droite. Une magnifique biche et deux petits faons encore tout tachetés de blanc semblaient l'accueillir dans leur jardin secret. De peur de les effrayer, il s'arrêta net. Les notes scintillantes continuaient leur course en l'invitant à poursuivre sa quête. Joshua avait l'impression de pénétrer dans un autre monde. Pourtant, cette forêt enchantée était bel et bien un lieu terrestre rempli de richesses naturelles et de paix. Les êtres qui y habitaient vivaient en parfaite harmonie suivant le rythme calme et paisible des cycles de la nature.

Plus elles avançaient, plus vite se faufilaient les douze lumières à travers les arbres. Joshua s'étonna de voir qu'il pouvait les suivre sans courir, comme si l'énergie le soulevait légèrement du sol pour le transporter à vive allure. Inquiet, son mental le rappela à l'ordre : « Joshua, tu t'emportes là ! Allez, réveille-toi ! » Il sourit et lui répondit : « Je m'emporte avec plaisir, chère raison. T'inquiète pas... je reviendrai les deux pieds sur terre, mais pour l'instant, je vis ce moment magique. Allez, repose-toi mon vieux mental, tu auras bien l'occasion de me questionner plus tard ! »

Au bout du sentier tortueux, se dessinait une longue allée de gigantesques pins annonçant une sortie lumineuse sur la clairière. Plissant les yeux pour mieux distinguer la silhouette au fond du couloir de verdure, Joshua aperçut Mélanie dans toute sa splendeur. Son regard et son sourire radieux étaient les mêmes. Son âme revêtait le même corps de lumière que celui qu'elle aimait tant sur la terre. Elle portait une tunique dorée et ses cheveux tombaient en cascades sur ses épaules. Les perles piquées à ses lobes éveillèrent un doux souvenir à l'esprit du messager. Il se rappela que la fillette portait toujours des boucles d'oreilles après ses traitements de chimiothérapie, pour s'assurer que les gens qui la croisaient sachent bien qu'elle était une fille.

Il s'en approcha lentement et lui fit la révérence qu'elle lui rendit gracieusement. Ils allongèrent ensuite leurs bras pour joindre fermement leurs mains. La lumière fut instantanément propulsée dans le corps de Joshua, comme si une dose d'énergie curative venait nourrir chaque cellule de son être. Moment de grâce et de béatitude !

Derrière Mélanie, perchés sur un rocher, quatre anges faisaient chanter les cordes de leurs violons et violoncelles emplissant la forêt des vibrations les plus joyeuses que le compositeur n'avait jamais entendues. Mélanie les présenta à Joshua comme étant « Les Anges de la Traversée ». « Ce sont eux, lui dit-elle, qui accompagnent les enfants sur le Pont de Cristal et jusqu'au Jardin des Enfants de Lumière. »

La sagesse et la sérénité avec lesquelles l'Enfant Maître avait affronté la mort douze ans plus tôt dépassaient l'entendement. Joshua avait canalisé des messages provenant de l'arrière-grand-père de Mélanie et de sa jeune amie, Kamille la petite chenille. Ils étaient venus simplement la rassurer, lui dire qu'ils seraient là pour l'accueillir aux portes du Jardin. Mélanie ne cherchait aucune preuve de l'existence d'une vie après la mort. Sa foi inébranlable témoignait de la spiritualité vivante de l'enfant Maître ; à son contact, Joshua avait appris tant de choses sur la pureté de l'âme et la simplicité des communications spirituelles. Avant de mourir, elle lui avait remis une plume vert et or au bout de laquelle un petit ange guiderait sa main. Elle lui avait dit tout bonnement : « Tiens Joshua, c'est pour toi. Ce sera la plume de nos communications. Je t'écrirai de l'au-delà et je continuerai de vous dire mon amour et vous parler de la Lumière. J'espère que je serai capable... » Joshua lui avait promis d'être au rendez-vous pour canaliser ses messages, particulièrement ceux qui seraient destinés à sa maman qui l'avait accompagnée dans un océan d'amour et qui lui avait si dignement redonné Sa vie. Voilà qu'il se retrouvait maintenant devant cet être divin qui portait toujours sur lui ce même regard si humain. Lisant dans ses pensées, elle commença :

— Eh oui, Joshua... nous gardons aussi un regard humain sur vous ! Nous nous souvenons, tu sais.

— Que tu es belle Mélanie et que cette musique te ressemble : pleine de joie et pétillante de vie. Je... je ne sais pas trop quoi te dire. Est-ce que je dois suivre un quelconque rituel pour te parler ? Je suis plutôt habitué à l'écriture, tu comprends ? Je...

— Mais non, Joshua ! lui dit-elle en riant. Je suis là et tu es là et on se parle comme avant, tout naturellement. C'est ça le problème tu vois ? Les gens font toute une histoire avec l'au-delà. Même pour parler à Dieu, c'est pareil. Parlez-Lui comme à un ami, à un père, à un frère. C'est tout ça, Dieu. C'est au cœur de l'enfant que Dieu s'adresse et non pas à l'homme, à l'humain qui parle avec sa tête. Pour avoir une conversation avec la Lumière, il faut être simple, humble et transparent.

Joshua resta pantois. Les sourcils relevés, la bouche entrouverte et les yeux rieurs, il se réjouissait de ce qu'il venait d'entendre. Il croyait voir devant lui le sourire moqueur du Dalaï Lama. Tout ce qui se dégageait de Mélanie c'était de l'amour. Que de l'amour... tout pur, tout simple.

— Mais qu'est-ce que t'as Joshua... tu es figé ou quoi ?

Riant aux éclats, ils s'assirent par terre dans un cercle de lumière.

— J'ai tellement de choses à te dire bel ange, que je ne sais plus par où commencer. D'abord, je ne m'attendais pas à cette belle visite aujourd'hui. Quelle belle surprise !

— Tu ne t'y attendais pas, mais pourtant ton âme m'avait donnée rendez-vous. J'ai bien entendu ton intention de « demeurer fidèle à ta mission ». Et ta mission Joshua, n'est-ce pas de construire des ponts entre les défunts et les personnes endeuillées ? C'est important que tu reconnaisses tout le bien que tu as fait à tant de gens en deuil et à tant d'âmes dans leur traversée. Quand mon corps est décédé, j'ai vu ce qui se préparait pour toi et je me demandais comment tu allais faire pour répondre à tous ces appels de détresse. C'est pour ça que je suis là aujourd'hui et que je me ferai le porte-parole des enfants du Jardin de lumière qui souhaitent apaiser la douleur de leurs parents. Je compte sur toi pour transmettre ces messages... tu veux bien ?

— C'est un honneur pour moi, Mélanie. Tu le sais n'est-ce pas ? Tu ne peux pas savoir comme il est difficile pour moi de refuser mon aide, mais en même temps, je me dis que Dieu a d'autres instruments pour rejoindre le cœur des parents blessés.

Joshua pleurait en pensant à toute cette souffrance humaine. Il se ressaisit lorsqu'il vit couler une larme de compassion sur la joue de l'Ange.

— Je sais mon ami, je comprends comment tu te sens. Moi, j'ai eu la chance d'avoir une maman très ouverte à la spiritualité. Avant même que je quitte mon corps, elle m'avait donné à Dieu. Il faut beaucoup d'amour inconditionnel pour pouvoir faire ça et aujourd'hui je la vois grandir et évoluer toujours dans le même sens. Je suis tellement fière d'elle. Elle sait que je suis là chaque fois qu'elle a besoin de ma lumière. Elle le sait bien va ! chère maman.

— Tu en parles comme si tu vivais encore avec elle. C'est beau !

— Je vis toujours avec tous ceux que j'ai aimés sur la terre. Nous vivons éternellement dans le cœur et l'esprit de nos proches. La seule différence, c'est que nous ne sommes pas attachés les uns aux autres. Par ce détachement nous pouvons mieux aimer, tu vois ? Ça peut avoir l'air drôle à dire Joshua, mais l'amour dans le détachement est le plus grand que nous puissions vivre. C'est le seul amour véritable qui existe et c'est le plus grand défi de l'homme. Tu te souviens de ce message que tu as rapporté de la Lumière ?

— L'amour, le vrai... ?

— Oui, c'est ça ! Il disait :

Celui qui accueille et qui laisse partir
Celui qui donne sans souci de recevoir
Celui qui sourit à l'enfant qui naît
Celui qui fait confiance et qui te valorise
Celui qui t'enveloppe de sa compassion
Celui qui ne voit que la beauté en chacun
Celui qui élève ta conscience et ton esprit

Celui qui pardonne en te bénissant
Celui-là... c'est l'Amour Divin
L'inépuisable, que tu portes en toi depuis toujours ![1]

— Ouais... j'avoue que je n'arrive pas toujours à le mettre en pratique. Je suis bel et bien le scribe et non l'auteur de ces messages, tu comprends ?

— Tu n'as pas à te justifier mon bel ami. Pratiquer l'amour véritable, c'est l'histoire de toute une vie. L'important, c'est d'exercer l'esprit chaque jour, de l'entraîner à vivre chaque moment, chaque situation quotidienne dans cet amour.

— Quelle sagesse, chère Mélanie..., lui dit-il avec admiration.

— Tu en fais autant, Joshua. Que tu sois incarné ou dans le monde des esprits, tu évolues, tu avances et tu fais avancer tout ce qui gravite autour de toi. Tu vois, les Lumières musicales qui t'ont mené jusqu'à moi, ce ne sont que des vibrations qui éclairent ta route et te montrent la voie. Les pensées et les paroles sont vibratoires et lorsqu'elles résonnent à une certaine fréquence, elles se matérialisent et prennent formes. Les gens appellent ça de la magie et c'en est ! Ce qu'il faut savoir, c'est que nous sommes tous magiciens. C'est la magie du créateur en nous. Les cellules de ton corps ont une intelligence et elles captent les vibrations de chacune de tes pensées et de chacune de tes actions. Tu le sais Joshua... tu as vécu une guérison miraculeuse aux yeux de la médecine, mais tu sais très bien que tu as « opéré » toi-même ce miracle.

---

1 • Les Messages de Joshua – Marjolaine Caron – éditions Marjolaine Caron

— Je n'étais pas seul quand même. Dans la lumière christique, j'ai reçu la force et le courage de rapatrier ce corps et cette vie.

— Je sais très bien que tu as reconnu l'intervention divine dans ce retour à la vie cher Joshua. C'est ce qui fait de toi un être humain si merveilleux !

— Une question brûle sur mes lèvres...

— Je l'entends déjà, mais pose-la toujours.

Voulant s'assurer de bien formuler sa question, Joshua se massa la gorge et ferma les yeux pendant quelques secondes.

— Et toi, Mélanie ? As-tu eu ce choix de rester ou de partir ? Je sais que c'est une question délicate, mais je crois que je la porte en moi au nom de milliers de parents. Sens-toi bien à l'aise d'y répondre.

L'Enfant Maître rayonnait de paix et d'aisance.

— Tu peux me poser toutes les questions que tu voudras Joshua. Je suis ici pour toi, pour tous ceux qui ont soif et qui désirent s'abreuver à la Source. Voilà, comme tu le sais, nous vivons en deux parties. Le yin, le yang. L'ombre et la lumière. Le conscient et l'inconscient. Ma partie consciente voulait guérir. J'ai combattu, pour un temps. On a dit de moi que j'avais beaucoup de courage et de sagesse pour une petite fille de mon âge. C'est vrai. J'ai voulu vivre parce que j'aimais la vie sur la terre, malgré les difficultés qu'elle comporte. Les arts étaient ma source de vitalité. J'aimais chanter, danser, écrire et j'aurais aimé jouer d'un instrument de musique. J'avais toujours un projet, un rêve devant moi. J'aimais aussi les humains. Je voulais les comprendre, les aider, les aimer. Beaucoup de gens se sont demandés pourquoi ça m'arrivait, à moi et à ma famille. Comme si la maladie et la mort étaient destinés aux méchants. Comme si c'était une punition, tu vois ? Mais non... c'est une bénédiction. La maladie vient nous réveiller à la vie. Elle nous questionne. Elle veut savoir si on l'aime cette vie et si on y tient.

— Mais comment la maladie peut-elle questionner un enfant aussi durement ? C'est clair qu'un enfant aime la vie et qu'il y tient. Je ne comprends pas ce bout là...

— C'est ici que ça devient plus délicat et que l'humain en nous a de la difficulté à accepter cette dimension de l'âme. L'enfant en moi voulait guérir et vivre. Mon âme avait un autre plan, celui de renaître à travers la mort. Je suis venue propulser des consciences en élevant la mienne au-dessus de mon corps. Je reviens à ce que je te disais tout à l'heure. En s'élevant, en évoluant, on fait avancer ceux qui croisent notre route. Je ne suis pas morte pour faire évoluer ma mère ou pour punir mon frère ou pour enseigner ceci ou cela à qui que ce soit. Je n'ai pas ce pouvoir là et personne ne le possède. J'ai choisi de rentrer Chez Moi, en traversant le Pont de Cristal, parce que j'avais rempli mon contrat de Vie terrestre avec Dieu et que c'était l'heure pour moi de revenir à la Source.

— Et ces parents qui meurent de chagrin et qui n'arrivent jamais à guérir de cette blessure... qu'est-ce qu'on leur dit, Mélanie ?

— Qu'il faut beaucoup d'amour, de courage et de patience. Il faut aussi l'humilité et la volonté de se faire accompagner. Certaines personnes diront que la mort de leur enfant les a fait grandir et d'autres diront qu'elle les a fait mourir, mais, en réalité, chaque être humain à le pouvoir de transformer une perte en gain, une mort en une vie nouvelle. Chaque être humain a le pouvoir de choisir d'en mourir ou d'en guérir. L'absence physique de l'être aimé peut-être comblée par la présence de l'esprit, si vous choisissez d'y croire. Et là, les miracles commencent ! Les manifestations de notre esprit vous parviennent à travers l'ouverture du cœur. Nous n'avons nulle autre voie que par le cœur pour arriver à vous consoler et à vous transmettre notre amour, notre force et notre lumière. J'ai choisi les vibrations de la musique pour t'attirer vers moi aujourd'hui... tu sais pourquoi ?

— J'ai une idée, mais j'aimerais bien entendre la tienne.

— Parce que la musique parle au cœur. Elle ne ment pas, elle ne triche pas et elle ne cherche pas à donner des preuves. Elle agit. Elle touche le corps émotionnel et transmet directement aux cellules de l'inconscient le message d'amour, de joie ou de paix qu'elle transporte par ces voix qui s'harmonisent. Écoute... écoute avec moi cet allegro du Jardin des Enfants de Lumière ! C'est la joie ! La joie de notre monde et cette même joie, nous voulons la transmettre à nos parents qui n'arrivent pas à sortir de la noirceur et de la mort.

Joshua ferma les yeux et laissa résonner l'air joyeux de l'enfant en lui. Mélanie reprit de plus belle :

— Reçois par cette musique, le bien-être et la joie de l'enfant que tu crois avoir perdu et qui vit ici, maintenant, avec toi. Elle t'est inspirée par tous les enfants du paradis qui souhaitent mettre un baume sur la plaie de leurs proches. Le langage universel de la musique leur permet de transmettre leur message directement au cœur de leurs parents. Tu vois ? C'est magique ! À condition de bien vouloir un peu de magie dans notre vie.

Les Anges de la traversée s'en donnaient à cœur joie pour offrir au messager une interprétation des plus majestueuses. De tout leur cœur, ils souhaitaient que chaque note, comme une caresse à l'âme, adoucisse le chagrin de ceux qui restent.

— J'aimerais pouvoir saisir cette musique et l'écrire à l'instant pour ne pas la perdre. S'empressa de dire Joshua.
— Ne t'inquiète pas, beau musicien. Cet allegro est déjà imprégné dans ton esprit et il y restera jusqu'à ce que tu sois prêt à l'écrire.

Elle se leva et lui tendit la main pour l'aider à se relever.

— Viens, marchons... la musique nous appelle.

Tête penchée, comme s'il lui fallait puiser intérieurement le courage de poser la prochaine question, il lui demanda :

— Corrige-moi si je me trompe, mais je crois qu'au Jardin des enfants de lumière, il y a des enfants de tous âges, n'est-ce pas ?

— Bien sûr. Lorsqu'on parle des enfants au plan céleste, il s'agit de la partie essentiellement pure en nous. Les parents qui perdent un enfant dans la trentaine, par exemple, perdent d'abord un petit garçon ou une petite fille. Comme l'âme est multidimensionnelle, sa lumière continue de vivre à travers l'enfant intérieur. Le Jardin est ouvert à tous les enfants de l'Univers... petits et grands.

— Mélanie, je sais que la perte d'un enfant est ce qu'il y a de plus meurtrissant dans la vie. Tu sais, j'ai accompagné des milliers de parents en deuil et la plus grande souffrance dont j'ai été témoin, c'est celle des parents d'enfants suicidés. C'est une question si délicate, tu vois, un sujet encore tabou, malheureusement. Au nom de ces familles éprouvées, aurais-tu un message pour ces braves gens ?

— Ta bonté sera toujours ta plus grande vertu, Joshua. Préserve-la en continuant de la répandre, cher ami. Cette question délicate, je l'attendais, car Dieu m'avait déjà confié un message pour Ses enfants de la terre, qui ont perdu un enfant par le suicide.

Mélanie laissa s'échapper un long soupir de compassion. Elle leva les yeux vers son frère universel et leurs regards d'amour échangèrent quelques larmes. L'Enfant Maître baissa les paupières, ouvrit les mains vers le ciel et se trouva entouré d'une resplendissante aura dorée. Jamais le petit Roi n'avait vu une image aussi saisissante, comme si la force du Créateur soufflait son amour à travers le canal de la jeune fille. Lentement, la métamorphose s'opérait au niveau de son visage pour devenir tantôt celui d'un jeune homme de 19 ans, tantôt celui d'une jeune femme de 27 ans, d'une adolescente de 14 ans, d'un homme de 42 ans, une femme de 50 ans et ainsi de suite, sans arrêt. Leurs figures paisibles défilaient sous les yeux du messager ébahi. Joshua comprit alors que les mots ne pouvaient traduire la réponse de Dieu, mais que la sérénité et le calme de l'âme venaient transmettre la paix. La lumière de Mélanie continuait d'illuminer les zones ténébreuses, ouvrant la voie à toutes les âmes dans le passage étroit d'une mort tragique. Joshua imita alors son mentor, fermant les yeux et ouvrant les mains vers le ciel. Son aura de lumière blanche irradiait la forêt et rejoignait le soleil, comme si le ciel et la terre se donnaient la main. Dans le silence parfait des mondes reliés, la voix de l'Amour se manifesta :

« Je suis là, mon enfant. Laisse-Moi alléger ton fardeau et fais-Moi confiance.

Ton enfant est aussi le Mien. Je l'ai reçu, accueilli, bercé en ton nom. Ne te tourmente plus et repose-toi. Tu as été la meilleure mère, le meilleur père que tu as pu être, avec ce que tu avais reçu. Maintenant, pardonne-toi et pardonne-lui son geste de désespoir. Accepte humblement ton impuissance devant la souffrance de cet être si cher à ton cœur.

Sur la terre comme au ciel, Mes Anges soignent et accompagnent les âmes qui se sont perdues en chemin. Ma lumière est omniprésente. Ferme les yeux maintenant, ouvre tes mains vers le ciel et laisse Ta lumière irradier une seule pensée... JE SUIS AMOUR ! Par cet amour, tu as donné la vie... par cet amour tu lui rendras ! Béni sois-tu ! »

Doucement, la voix puissante et si douce à la fois se fondait dans le soleil. De nouvelles notes scintillantes se réanimèrent, porteuses cette fois d'un andante. Les Anges de la traversée jouaient maintenant « Lumière sur la sortie », une berceuse offrant à tous les parents de la terre un ultime moment avant de déposer leur enfant dans les bras de Dieu.

Lentement, les deux passeurs d'âmes ramenèrent leur vibration à celle de la terre et se laissèrent emporter dans une marche de paix par cette mélodie réconfortante. Au loin, un chêne majestueux se voyait dépouillé de ses feuilles mortes. Mélanie fit signe à Joshua de s'arrêter et de contempler la valse des feuilles se détachant de l'arbre.

— Tu vois comme l'arbre laisse naturellement aller ses feuilles ? Le vent les emporte une à une et elles ne résistent pas. Le chêne ne les retient pas non plus, pourtant il les perdra... jusqu'à la dernière. Il se retrouvera dénudé complètement, jusqu'à ce que le printemps fasse éclater de nouveaux bourgeons.

— C'est une très belle métaphore Mélanie et je suis d'accord avec toi pour dire que le détachement au plan humain est peut-être un des exercices le plus difficile à faire surtout lorsqu'il s'agit de nos enfants. Par contre, si tu me permets une réflexion bien humaine, les arbres répondent aux cycles naturels sans déchirement. Mais nous, les humains, ce n'est pas aussi simple. Notre corps physique et émotionnel en prend un coup lorsqu'un choc aussi terrible nous arrive. Elles sont rares les personnes qui peuvent dire comme ta maman m'a dit après ton décès : « Le jour de la mort de ma fille fut le plus beau jour de ma vie ».

— Il ne faut pas oublier que maman et moi, on avait traversé toutes les étapes ensemble. Le jour du diagnostic n'a pas été le plus beau de notre vie. Ensuite, il y a eu le grand choc, la nouvelle qui me condamnait au chemin des traitements jusqu'à la mort. On a eu de l'aide et on a commencé à combattre, mais pas pour longtemps. C'est que, vois-tu, moi je ressentais profondément que ma mission était accomplie. Bien des gens n'y croyaient pas. Ils disaient que je voulais faire ma grande pour aider mes proches à passer au travers et pour épargner ma mère. C'est incroyable comme les gens peuvent faire de la projection. Moi, j'étais connectée à la Source, à mes Anges et à Dieu. J'étais venue répandre l'amour inconditionnel et expérimenter le passage de mort consciente.

— Et pourquoi toute cette souffrance ? Tu as tellement souffert, pauvre enfant.

— Je ne me souviens plus de cette souffrance, Joshua. Au même titre que toi. Est-ce que tu te souviens de la douleur de ta naissance ? Pourtant, s'il y en a une qui est grande...

— Oui mais, ça ne dure pas des jours, ni des mois.

— Tu as aussi oublié les neuf mois de gestation. Au début, c'est pas mal, parce qu'on a de l'espace, mais au fur et à mesure que la naissance approche, on vit la même chose qu'à l'approche de la mort. Des peurs, des tensions, des manques, on se sent pris, le couloir est étroit et il fait noir. On ressent la douleur de l'être qu'on aime le plus au monde... notre mère. On la vit ensemble cette naissance. C'est dur naître, Joshua. Ça prend beaucoup d'amour pour venir au monde.

— Mon retour du coma ressemble à ce que tu viens de décrire. Quitter le monde de lumière, les énergies de paix, les sages et la chaleur du Divin... c'est très difficile.

Joshua se retrouva tout à coup plongé au fond d'une immense tristesse. Mélanie baignait toujours dans cette énergie si pure et cette conscience si élevée. Elle eut vite fait de voir venir la dépression de l'âme.

— Attention mon ami, tu es en train de glisser dans la nostalgie de l'Ange en toi. N'oublie pas qu'une partie de toi baigne encore dans cette lumière et que tu peux, quand tu le veux, reprendre contact avec cette énergie divine.

— Ah ! oui ? Et je fais ça comment, dis ?

— Eh bien, tu le fais en ce moment. Tu le fais lorsque tu composes de la musique, quand tu écris, quand tu berces ton enfant pour l'endormir. Tu le fais si bien lorsque tu tends la main à celui qui a perdu espoir ou lorsque tu écoutes Émilie avec compassion. Tu le fais en donnant quelques pièces de monnaie au mendiant, plutôt que de te justifier en disant que tu ne peux pas passer ton temps à remplir ses poches pour qu'il s'achète de la drogue. Tu peux le faire aussi, si bien, en prenant soin de toi, en t'offrant une marche en forêt et en parlant avec les arbres. Tu crois qu'ils n'ont pas d'intelligence les arbres ? Tu serais surpris mon ami !

La candeur et la simplicité avec lesquelles Mélanie répandait ses enseignements renversaient Joshua. « Pourquoi étaler nos grandes philosophies, alors que dans la vie spirituelle, rien n'est compliqué » se dit-il.

Elle avait déjà capté cette pensée au vol.

— C'est très simple. C'est que les hommes cherchent le pouvoir constamment. L'homme séparé du Divin veut Lui prouver qu'il peut tout faire sans Lui. Il cherche à monter des empires dont il sera le seul créateur. En fait, c'est la partie que vous appelez l'ego qui est à l'œuvre. Dieu, Lui, n'en fait pas de cas. Il laisse à l'homme son libre arbitre. Il admire son courage, et même son entêtement. Il reste là, patiemment... Il attend. Lorsqu'au bout de ses forces l'homme crie : « Mon Dieu, aidez-moi », Dieu se lève, le bénit et s'en va. Maintenant, l'homme réussira car il a reconnu la présence du Divin en Lui.

— Que c'est beau Mélanie... continue, je t'en prie.

— Je n'ai jamais douté de la présence de Dieu à mes côtés, même à travers les crises. Ça ne veut pas dire que

je ne me suis jamais lamentée ou que je n'ai jamais manqué de patience et que je n'ai jamais été méchante dans
mes paroles. C'est dur d'être bon quand on souffre. La
bonté, c'est une vertu qui se développe très souvent dans
la souffrance. Je ne veux pas dire qu'on est obligé de
souffrir pour évoluer ou pour gagner son ciel, comme on
dit, mais souvent la souffrance nous laisse des cadeaux.
La bonté et la compassion sont parfois les deux premiers.
Pour comprendre celui qui souffre et mieux encore, pour
le prendre dans nos bras et accueillir sa douleur, il faut
connaître sa souffrance. C'est comme l'histoire de Jésus, quand on dit : « Il est mort pour nous ! » Je me
suis toujours demandée pourquoi il avait fait ça et à quoi
ça pouvait bien nous servir qu'il soit mort pour nous.
Maintenant, je comprends, quand je regarde ma petite
maman aider d'autres mamans qui ont perdu un enfant
et qui ne voient pas la lumière au bout du tunnel. Par
son rayonnement et son vécu, elle peut les aider et leur
montrer qu'il est possible de guérir, de renaître même.
C'est ce qu'elle dégage... notre lumière ! La mienne et
la sienne.

— Il me reste encore bien du travail à faire pour
arriver à ta bonté et ta sagesse, chère Mélanie. Juste-
ment, j'ai pris une année de répit pour m'occuper de mes
enfants et de moi. Je ne suis plus le messager que j'étais
avant l'attentat. Je me suis coupé de l'humain en moi et
aussi des autres. Ton témoignage me touche profondément et me bouleverse à la fois. J'aurais envie de crier :
« Mon Dieu, aidez-moi ! ».

— C'est fait ! Bravo ! criait-elle en tapant dans ses
mains. Tu sais ce qu'il te dirait Dieu si tu pouvais l'en-

tendre ? Il te dirait : « merci de prendre le temps de naître consciemment pour mieux accompagner tes frères. » Il te dirait : « merci de prendre soin de toi, sans quoi tu ne pourras venir en aide à personne ». Il te dirait : « merci encore de continuer de transmettre les messages d'amour et d'espoir, même si tu ne les as pas tous intégrés. » Et pour terminer, Il bénirait l'homme que tu es et l'âme qui t'habite... et Il s'en irait en souriant !

Sur ces paroles, Joshua avait posé ses mains sur son cœur et fermé les yeux. La puissance de ces mots berçait son âme et lui donnait la force de continuer et de demeurer fidèle à sa mission.

L'Enfant Maître se leva doucement et posa sa main sur la tête du petit Roi. Élevant son autre main vers le ciel, elle puisa à la Source l'énergie de tous les enfants du Jardin, afin que chacun puisse rejoindre leur famille d'âmes à travers le canal de Joshua. Lorsque sa coupe fut remplie à ras bord, Joshua se leva, s'inclina devant le Maître et rendit grâce.

Mélanie se plaça devant lui, comme un maître de cérémonie et lui annonça vivement :

— Maintenant, voici la magie de Mélanie ! Tu fermes les yeux et à trois, tu les ouvres... d'accord ?
— J'adore les tours de magie ! Vas-y...
— Roulement de tambours s'il vous plaît ! Un, deux, trois...

Il rouvrit les yeux sur une scène magistrale. Des milliers d'enfants, de tous âges, étaient réunis dans des gradins qui s'élevaient à l'infini dans le ciel. Tous vêtus de blanc et or, ils formaient un chœur de chant. Sur un rythme d'adagio, ils entonnèrent un hymne à l'amour pour leurs parents : « Lumière sur la sortie ». Les Anges de la traversée les accompagnaient allègrement dans cet hommage à la Vie ! Les Guides de la *force*, du ***courage*** et de la ***foi*** du petit livre de Joshua[1] se placèrent de chaque côté du messager et le ramenèrent doucement à la terre.

Lorsque l'image se fondit graduellement dans le bleu du ciel, Joshua se tourna vers Mélanie qui n'y était plus. Elle l'avait béni et s'en était allée en souriant aux Anges de la traversée.

---

1 • Le Petit livre de Joshua – p. 214-215

chapítre douze

Une lumière est née
Vingt ans plus tard

Penchés sur le berceau de leur petite-fille, Émilie et Joshua ne pouvaient retenir les larmes baignant leurs yeux émerveillés. Assis sur le bord du lit, Mathieu berçait sa femme épuisée. Autour de Laurie, se dessinait une aura lumineuse imprégnant son énergie des traits de la maternité. Son visage portait encore les marques de l'enflure et des sueurs des nombreuses heures de travail qu'elles avaient mis, sa fille et elle, à opérer le miracle de la Vie. Joshua embrassa Laurie sur la tête et la remercia d'avoir transporté cette étoile sur la terre. Son premier geste envers sa petite-fille fut de la bénir et de l'embrasser sur le front en lui souhaitant la bienvenue dans sa famille d'âmes.

Philippe se tenait debout auprès de Mathilde qu'il avait confortablement installée dans le fauteuil du coin de la chambre. Joshua enveloppa la petite Ariane dans un lange tout blanc, s'approcha doucement et la déposa dans les bras de son arrière-grand-mère. Mathieu, Laurie et Émilie se tenaient par la main pour allier leurs forces. Ce moment tant anticipé depuis le début de la grossesse était maintenant arrivé. Philippe s'avança sur le bord de la chaise pour surveiller de près la réaction de Mathilde, dont le regard perdu scrutait curieusement le poupon. Doucement, elle caressait son petit crâne rougeâtre et ses joues gonflées par l'effort. Mathilde balançait la tête, pendant que sa bouche entrouverte laissait couler un filet de salive le long de son cou. Sortant vivement un mouchoir de sa poche, Philippe s'empressa de l'essuyer. Cherchant son mari des yeux, elle semblait tout à coup inquiète. Il prit délicatement le menton de Mathilde entre le pouce et l'index pour ramener son regard vers lui :

— Je suis là, mon amour. Tu veux me dire quelque chose ?

— C'est à qui le bébé ? C'est à moi ? On peut l'amener à la maison ?

— Mais non, ma beauté... c'est la petite Ariane, le bébé de Laurie. Elle vient de naître. Tu es maintenant arrière-grand-mère, mon ange. Félicitations !

— Non, répliqua-t-elle sèchement, comme pour le corriger. Laurie c'est une petite fille, elle ne peut pas avoir de bébé.

— Mais oui, grand-mère chérie... reprit Laurie, étouffant un sanglot. Regarde, je suis là et je suis une maman maintenant. Tu te souviens... ?

Cette question inutile s'étaient échappée de sa bouche. Mathilde ne se souvenait plus... depuis longtemps.

Tristement, Joshua regardait sa tendre maman avec tout l'amour et la compassion dont il était capable. Ce jour-là, plus qu'à tous les autres jours depuis le diagnostic fatal de la maladie d'Alzheimer, il aurait tout donné pour que l'esprit de sa mère retrouve ses fonctions, ne serait-ce que le temps de reconnaître son arrière-petite-fille. Mathilde serra tendrement l'enfant contre son cœur et lui fredonna cette même berceuse qu'elle avait chantée si souvent au petit Roi. Tout le monde pleurait, sauf la vieille dame et l'enfant nouveau-né unis dans la pureté d'une même innocence. Mathilde souriait à l'Ange ! Ariane fixait l'âme de son aïeule droit dans le troisième œil. L'échange était presque palpable. Joshua savait qu'il se tramait un pacte entre ces deux êtres, mais lequel ? Impossible de savoir. Il s'agissait d'un secret, un message tout chaud que la petite lui rapportait du Jardin des Enfants de Lumière.

Philippe prenait garde de bien protéger le bébé. Mathilde aurait pu soudainement décider qu'elle en avait fini de jouer avec sa poupée et la pousser par terre. À ce stade avancé, la maladie la rendait totalement imprévisible. Lorsque le dialogue des âmes fut terminé, lentement, Philippe retira la petite des bras de Mathilde et la reposa sur le sein de sa maman soulagée. Joshua souleva sa mère toute menue, la prit dans ses bras comme on prend un enfant et la berça à son tour, lui chuchotant la berceuse de son enfance. Mathilde se croyait au paradis !

Pendant ce temps, Philippe en profitait pour câliner à son tour la petite Ariane. Il s'était retiré quelque peu pour lui chuchoter son message de bienvenue au creux de son oreille minuscule. Il la remercia aussi pour l'énergie qu'elle avait transmise à Mathilde et termina en lui faisant ses souhaits pour une vie remplie d'amour. C'est la voix aigüe de Mathilde qui le sortit de son rituel.

— Papa, viens papa... allons nous-en. Il est assez tard.

Philippe ne la contraria pas. Elle était fatiguée, il fallait rentrer. Il lui mit son manteau, retroussa son col comme elle l'avait toujours fait, arrangea ses cheveux décoiffés par les caresses de Joshua, accrocha son bras au sien et dit :

— Repose-toi bien belle Laurie et prenez soin de vous tout le monde.

Émilie s'approcha pour embrasser Philippe lorsque Mathilde la repoussa sèchement :

— Non, non madame. Les infirmières n'embrassent pas les médecins. Vous devriez savoir ça.

Elle se tourna ensuite vers Mathieu en le pointant du doigt :

— Et vous docteur, taisez-vous. C'est compris ?

Sidéré, le nouveau papa qui n'avait pas prononcé un seul mot, abdiqua. Laurie lui serra la main pour le rassurer. Elle continua.

— Et je vous défends de vous asseoir sur le lit de vos patientes. En voilà des manières ! Du temps où je travaillais dans les hôpitaux, ça ne se passait pas comme ça, croyez-moi.

Elle se tourna vers Philippe, cherchant son accord.

— Mais dis-lui toi... c'est toi le patron ici, non ?

Il avait appris à entrer dans son monde et à jouer le rôle qu'elle déciderait de lui confier ce jour-là. Sur un ton autoritaire, en réprimant un fou rire nerveux, il regarda Mathieu et lui dit :

— Docteur, c'est votre dernier avertissement. D'ailleurs ce n'est pas la première fois que je vous trouve dans le lit de ma patiente. Votre comportement va à l'encontre de l'éthique professionnelle et il est inacceptable.

À chaque mot, Mathilde acquiesçait d'un hochement de la tête en fixant le parquet, comme si Philippe répétait parfaitement son texte. Un petit sourire en coin traduisait sa satisfaction d'avoir contribué à sanctionner l'indiscipline du jeune médecin. Elle le regarda droit dans les yeux et lui dit :

— Voilà... bien fait pour vous !

Se tournant maintenant vers Laurie, elle ajouta :

— Et vous madame... un peu de tenue quand même. Vous faites tout pour l'aguicher à ce que je vois. Remontez votre jaquette au moins... Ah ! ces jeunes !

Elle tourna les talons et Philippe en profita pour remercier tout le monde d'un petit clin d'œil complice. Aussitôt la porte refermée, les regards d'Émilie, de Joshua et de Laurie se tournèrent vers Mathieu. Ils pouffèrent de rire en voyant sa figure rougissante et sa mine décontenancée. Lui qui, de nature plutôt timide et qui ne disait jamais un mot plus haut que l'autre, ne comprenait pas trop ce qui lui arrivait. Bien que ce ne fût pas la première fois qu'il assistait aux frasques de Mathilde, celle-ci l'avait particulièrement bouleversé. Que dire du jeu de Laurie ! Dans un concours de théâtre, elle aurait certainement raflé le trophée pour son rôle de soutien.

Contrairement à ce qu'ils avaient craint, la condition de Mathilde n'était pas venue assombrir ce moment de bonheur qu'est la naissance. Au contraire, la lumière d'Ariane avait illuminé pour quelques instants le regard de la femme jadis si vive, si alerte. On aurait dit que la vie qui s'apprêtait à s'éteindre en l'une passait le flambeau de la flamme éternelle à l'autre.

Tout avait commencé pendant leur voyage en Tosca-
ne, vingt ans plus tôt. Au cours de ces vacances, Philippe
avait noté plusieurs incohérences et oublis de la part de
son amoureuse. Les derniers mois avaient grandement
sollicité la mère et la grand-mère en elle. Mathilde met-
tait sur le compte de l'épuisement ses écarts d'attention.
Après un mois de repos, l'énergie physique remontait la
pente tandis que la mémoire poursuivait sa descente aux
enfers. Philippe connaissait parfaitement les symptômes
de la terrible maladie pour avoir soigné de nombreux patients atteints d'Alzheimer. Malgré cela, il se refusait à
croire que, cette fois-ci, la victime était l'amour de sa
vie. La nuit, il passait des heures à faire des recherches
sur Internet, dans l'espoir de trouver de nouveaux traitements ou de nouvelles recherches encourageantes. Au
mieux, ils pourraient peut-être gagner du temps en stabi-
lisant son état par de nouveaux médicaments. Il n'était
sûr que d'une chose... il ne l'abandonnerait jamais.

Dans les premiers temps, Mathilde refusait d'admettre qu'elle pouvait être atteinte de cette maladie. Elle
vivait dans le déni de sa condition, jusqu'au moment où
elle dut se rendre à l'évidence. Elle sortit un soir pour
faire des courses. Les magasins étant fermés depuis
plus d'une heure, Philippe ne trouvait pas normal que
Mathilde ne soit pas rentrée. Inquiet, il tenta en vain de
la rejoindre sur son téléphone portable. À la quatrième
tentative, elle répondit enfin.

— Mathilde ? Est-ce que ça va ? As-tu un problème
avec la voiture ?

Elle gémissait au bout du fil.

— Mais où es-tu ? Qu'est-ce qui se passe ? Parle-moi... es-tu blessée ?
— Je ne sais pas où je suis, Philippe. Je suis perdue.

Elle pleurait de honte et de panique.

— Ce n'est pas grave, mon amour. Calme-toi. Respire bien. Je suis là. Écoute-moi bien et ne raccroche pas, surtout.

Philippe lui demanda de lire sur l'affiche le nom de la rue sur laquelle elle se trouvait et il s'empressa d'aller la chercher. Elle se trouvait à l'autre bout de la ville, complètement désorientée.

Le lendemain alors qu'elle était lucide et très consciente de son état, elle invita Philippe à s'asseoir avec elle devant la mer.

— Nous avons besoin d'en parler, Philippe. Pendant que je suis toute là, je veux te dire mes dernières volontés de vive voix. Celles d'avant et celles d'après ma mort. J'ai visité à peu près tous les sites qui parlent de cette cruelle maladie et je sais très bien que je vais d'abord mourir dans mon corps, qui, lui, mourra après moi.

Philippe serrait les poings, tentant de retenir la rage et de chagrin qui l'habitaient. La force et la conscience de Mathilde déstabilisaient le médecin qu'il était, mais encore plus l'éternel amoureux de cette femme si merveilleuse à ses yeux. C'est pourtant lui qui devait la soutenir, la sécuriser, l'encourager dans ce moment crucial où elle avait enfin trouvé le courage d'en parler. C'est elle qui avait osé nommer les choses clairement, prédire les cruelles étapes qu'elle connaissait maintenant après toutes ses recherches. Il ôta ses lunettes pour essuyer son visage, se racla la gorge comme pour se donner du courage, hocha la tête en signe de bravoure et lui dit :

— OK, je t'écoute, mon amour... je suis prêt. Qu'est-ce que tu souhaites et qu'est-ce que tu ne veux pas ?

— Je ne veux pas de pitié, je ne veux pas d'acharnement thérapeutique... tu le sais déjà. Je veux être belle et sentir bon à tous les jours... jusqu'au dernier. Je ne veux pas que mes petits-enfants aient peur de moi et qu'ils me fuient, donc tu ne dois pas me laisser m'emporter dans des colères. Prends-moi à part s'il le faut ou évite les rencontres familiales lorsque tu verras que je suis trop instable. Si tu le peux, garde ce regard amoureux sur moi jusqu'au bout, même quand je t'appellerai papa... ok ?

Sur cette phrase, elle éclata en sanglots. Voyant venir la mort de leur amour, son cœur avait flanché. Philippe reprit la barre avant que le bateau ne chavire.

— Chuuut, ma beauté... chuuut ! Je suis là, tu es là et aujourd'hui nous sommes encore les plus grands amoureux de la terre. Cet amour que je porte dans mon cœur, tu le verras dans mes yeux jusqu'au dernier instant, et lorsque tu prendras ta dernière respiration, j'insufflerai mon amour dans ta bouche pour qu'il devienne le premier souffle de ta nouvelle vie. Tu vois ? Comme ça, tu le porteras dans ton âme jusqu'à ce que je te rejoigne au paradis. D'accord ? Tu as bien compris ? Il faut rester dans le moment présent Mathilde. Ici, maintenant... on est bien, non ?

Il tenait son visage entre ses longues mains fines. Il caressait son front, ses cheveux. Il lissait ses sourcils pour dénouer les tensions. Son âge mûr ajoutait une touche de sérénité à sa beauté éclatante. Elle avait 51 ans et elle faisait encore tourner les têtes avec son allure naturelle et sensuelle. Elle marchait comme une collégienne qui se rend à l'examen final, tellement chaque pas de sa vie était rempli de détermination. Elle n'avait jamais perdu sa fougue, la Mathilde ! Elle aimait passionnément la vie, aussi difficile avait-elle pu être par bouts. Elle avait donné et elle avait reçu tant d'amour. Toute cette vie qui grouillait en elle, autour d'elle. Pourquoi devait-elle s'effriter maintenant, se décomposer jour après jour, sous les yeux de ses amours ? Le souvenir qu'elle voulait laisser à son fils, à Émilie, à ses petits-enfants, c'était celui d'une belle grand-mère de 90 ans en train de leur raconter ses histoires de jeunesse devant un bon feu, non pas celui d'une vieille femme sénile, incontinente, aux yeux égarés. C'est ça qui faisait si mal et si peur. C'est qu'elle la voyait venir, cette chienne de maladie. Elle voyait le film d'horreur avant de le vivre et c'est maintenant que ça la tuait. Au moment où elle ne serait plus là, que son cerveau serait mort et son esprit envolé, elle ne souffrirait plus. Rendu là, c'est le calvaire de ses proches qui commencerait.   Combien de nuits blanches avait-elle passé à ressasser ces idées noires ?   Combien de fois avait-elle pensé faire un pacte avec Philippe pour prendre l'autoroute jusqu'à la mort, plutôt que les chemins caho-teux et tortueux en bordure de falaises. Elle qui avait le vertige !

Il y avait aussi Joshua à qui elle ne pouvait faire une chose pareille et ses petits-enfants à qui elle ne voulait pas laisser le souvenir noir d'une grand-mère qui s'est enlevé la vie.   Ce n'était pas dans sa nature de lancer la serviette, de rebrousser chemin.   Elle l'affronterait.   Elle resterait debout, dans sa dignité et sa noblesse, jusqu'au bout.   Le premier pas vers l'acceptation était le même qu'elle avait dû faire après la mort de sa mère, après le départ de Louis, après l'attentat contre son fils.   « Vivre le moment présent ».   Le pouvoir de l'instant présent de-viendrait son arme de tous les jours.   Voilà que Philippe le lui rappelait.

— Tu as raison, mon amour.   Je savais bien que je risquais de déraper en te faisant part de mes volontés pour le futur.   Le plus important Philippe, c'est que vous n'arrêtiez pas de vivre pour moi.   C'est ma vie qui ralen-tira et non la vôtre.   Je ne veux pas être un fardeau pour vous, tu comprends...

Il posa délicatement son index sur sa bouche, respira longuement et posa la tête fatiguée de son amoureuse, sur son épaule :

— Écoute-moi bien maintenant. C'est à mon tour de te parler de ma volonté. J'ai aussi le droit de choisir de quelle façon je veux vivre ce passage avec toi. Je t'ai épousée pour le meilleur et pour le pire et même si je n'avais pas fait ce vœu pieux, je serais resté à tes côtés et j'aurais pris soin de toi jusqu'à la fin. Je le ferai donc avec amour et je trouverai le moyen d'agrémenter cet accompagnement. Nous aurons encore de belles années et de très beaux moments ensemble et j'en profiterai jusqu'au bout. Je sais que l'aventure qui commence pour nous deux ne sera pas toujours facile. Je sais qu'il faudra beaucoup d'organisation et d'aide pour la vivre dans l'équilibre. Ça ne donnera rien que je me tue à prendre soin de toi, car on le sait bien... tu ne pourras pas m'enterrer. Tu auras oublié mon nom !

Ils éclatèrent de rire, sans pouvoir s'arrêter. Ils en ajoutèrent à la scène tordante du mort qui ne trouve pas son habit pour se faire embaumer et qui a perdu sa femme qui s'est égarée. Même dans ce moment difficile, Mathilde n'avait pas perdu son extraordinaire sens de l'humour.

— Ne cesse jamais de me faire rire, chère Mathilde !

— C'est la dernière chose que je veux perdre, Philippe. Mon sens de l'humour. La médecine par excellence, celle qui m'a sauvé la vie tant de fois. Il y a au moins une chose qui me console dans cette maladie.

— Ah ! bon... laquelle ?

— Je risque de vous faire rire de plus en plus et surtout, ne vous gênez pas. N'oubliez pas qu'en riant, on peut liquider autant de peine qu'on peut exprimer de joie.

Philippe la blottit au creux de son épaule et la serra très fort.

—Je t'aime tant... Dieu, que je t'aime.

C'est vingt ans plus tard que Laurie donnait naissance à la petite Ariane. Le scénario dans lequel Mathilde les avait tous entraînés ce jour-là, avait alarmé Joshua. Maintenant âgée de 71 ans, la femme qui l'avait pris sous son aile 45 ans plus tôt, demandait de plus en plus de soins et de surveillance. Pas un instant, Joshua n'avait hésité à offrir son accompagnement au couple qui avait courageusement traversé toutes ces années avec cette maladie dégénérative. Dans les derniers mois, Joshua avait remarqué une baisse importante d'énergie chez Mathilde. Ce matin-là, il était inquiet. En ouvrant la porte, il aperçut de loin le visage assombri de Philippe. Assis au bout de la table, l'homme songeur ne sentait plus la force de continuer, mais encore moins celle de la « placer ». Ce seul mot lui donnait la chair de poule. Il lui avait promis de ne jamais l'abandonner. Trop fatigué pour se lever et accueillir convenablement Joshua, comme il avait toujours su si bien le faire, il lui fit signe de la main de s'asseoir.

— Pauvre Philippe, tu n'en peux plus, n'est-ce pas ?

Il n'en fallait pas plus pour qu'il s'abandonne à son épuisement. Couvrant son visage de ces mains qui avaient soigné tant de gens, il se laissa aller à pleurer comme jamais il ne l'avait fait auparavant. Philippe avait consolé beaucoup plus souvent qu'il n'avait été consolé au cours sa vie. Sa profession était pour lui davantage une mission, une passion même. Mathilde le disait toujours : « les gens qui ont Philippe comme médecin ont aussi un ami, un père ». Ce jour-là, il se sentait comme un petit garçon perdu dans la nuit. Son amoureuse s'en allait, elle dépérissait de jour en jour. La dépression gagnait le soigneur, pendant que la mort guettait sa protégée. Lorsqu'il eut reprit ses esprits, il mit sa main sur l'épaule de Joshua et lui dit d'une voix faible :

— Merci, mon garçon. Sans toi, je ne sais pas comment je pourrais passer à travers ce passage si difficile, moi qui ai passé ma vie à dire à mes patients de bien respecter leurs limites et de ne pas oublier qu'ils étaient humains. Je disais souvent : « n'oubliez pas de soigner le soigneur ». Eh bien, voilà de quoi a l'air le soigneur aujourd'hui. Crevé, Joshua. Je suis exténué. C'est une tâche de 24 heures par jour. Même quand je dors, je la surveille... je suis en état d'alerte. J'ai toujours peur qu'elle se lève la nuit et qu'elle prenne la fuite.

Philippe s'était arrêté sans quitter le regard de Joshua, attendant une solution, un conseil. L'homme épuisé tentait de comprendre ce que le silence de son ami voulait lui dire. Serrant les lèvres, relevant les sourcils, il osa :

— Tu veux dire que je n'ai plus vraiment le choix ?

— Qu'en penses-tu, Phil ?

— Je sais, il faut que je trouve de l'aide. C'est le début de la fin, n'est-ce pas ? Comment je vais faire, Joshua ? Comment je vais faire pour vivre sans elle ? On a été si heureux ensemble.

— Je ne connais qu'une seule formule pour affronter cette grande épreuve mon Philippe. Vivre un jour à la fois... sinon, tu le sais, c'est trop dur. Aujourd'hui, je suis là. Je dormirai ici ce soir et demain si tu veux. Émilie est d'accord avec moi, il faut que tu te reposes. Avant de prendre une décision, retire-toi pendant quelques jours pour soigner le soigneur. As-tu pensé à un séjour en Estrie, sur le bord d'un petit lac écologique où le calme de la nature pourrait prendre soin de toi ? Tu n'as pas à t'inquiéter, je vais prendre bien soin d'elle. Elle ne verra pas la différence et il y a de bonnes chances qu'elle me prenne pour toi ; alors tu vois, tu es cloné. Allez, reçois Philippe. Humblement, accepte de te faire aider toi aussi.

Les deux hommes se levèrent et échangèrent une longue accolade. Philippe tapa solidement dans le dos de Joshua.

— Tu es un homme bon, mon garçon. Bon, comme ta mère. Merci.

Le lendemain matin, Joshua fut réveillé à 5h00 par Mathilde qui frappait dans la porte de sa chambre pour sortir. Cette obligation de barrer la porte lui crevait le cœur. Hélas, pour sa sécurité, il n'avait d'autres choix. Il se précipita avant qu'elle ne panique.

— J'arrive maman, j'arrive... voilà !

Il ouvrit la porte sur un visage inconnu. Les traits de Mathilde toujours si doux et lumineux, s'étaient métamorphosés en un regard diabolique et une bouche crispée, prête à mordre. Joshua recula de peur qu'elle ne s'attaque à lui, tellement elle fulminait. Il se ressaisit pour l'apprivoiser, puisqu'il était évident qu'elle ne le reconnaissait pas. Il s'avança prudemment :

— Mathilde, maman... du calme. C'est moi, ton fils...

Elle s'empara de la porte pour lui claquer au nez, mais Joshua la bloqua. Elle hurlait :

— Allez-vous en. Sortez de ma maison. Assassin, voleur... j'appelle la police... tout de suite.

Son cri retentissait partout dans la maison. Sa terreur résonnait dans toutes les pièces. Son corps tremblait de partout pendant que ses forces l'abandonnaient. Bouleversé par cette scène terrifiante, Joshua tenta par tous les moyens de la sortir de cet enfer imaginaire. Tout à coup, il lui vint à l'esprit de se faire tout petit pour qu'elle réalise qu'il ne représentait pas un danger pour elle. Il se glissa contre le mur et se recroquevilla en fœtus dans le coin de la chambre. Il joua le jeu :

— Maman, maman... est-ce qu'il est parti le voleur ?

Mathilde resta clouée sur place. Sans bouger la tête, elle scrutait des yeux chaque recoin de la chambre. Elle s'empara d'un ange en plâtre sur la commode et du bout des pieds s'avança sur le seuil de la porte et s'étira prudemment le cou dans le corridor. Personne à gauche, personne à droite, la voie était libre. Elle semblait prendre un malin plaisir à pourchasser son agresseur. Elle voulait s'assurer que l'intrus s'était enfui. Avant qu'elle ne s'aventure trop loin, Joshua lui rappela la présence de son fils terrorisé :

— Dis maman, il est parti le méchant.

Surprise, elle se retourna. Joshua s'était couvert d'une doudou pour qu'elle reconnaisse le plus possible l'image de l'enfant. Le masque du diable avait fondu instantanément à la vue de son petit garçon apeuré. Les traits de la mère-veilleuse qu'elle avait été toute sa vie réapparurent sur son visage étiré. Elle s'accroupit près Joshua, qui pleurait cette fois pour vrai. Elle le prit dans ses bras pour le bercer une fois de plus. Elle chantait encore et encore la berceuse de son enfance. Au bout de ses forces, elle s'endormit tout doucement avec l'Ange sur son cœur. A son tour, Joshua la souleva et l'emporta jusqu'à son lit.

Le petit Roi parla à son âme.

— Tu peux t'envoler, mon bel oiseau. Tu m'as tout donné. Tu nous a comblé de ton amour. Pars maintenant... les Anges t'attendent, ils préparent ta fête. Tu entendras une musique céleste, maman chérie... ils seront tous là. Louis, tu te souviens... ton beau Louis ? Il t'accueillera les bras chargés de roses blanches ! Et ta chère maman ! Quelle joie ce sera de vous retrouver enfin ! Je te reconduirai jusqu'au Pont de Cristal, belle Mathilde d'amour ! Tu ne l'as pas volé... tu l'as gagné, ce ciel. Philippe te rejoindra, ne crains rien. On prendra soin de lui. Bien sûr que les enfants auront de la peine à te voir partir, ils sont si attachés à toi ; mais ils en ont bien plus à te voir dans cet état, maman. Nous t'aimons tant que nous te laissons partir. Tu es libre, belle colombe. Quitte ce corps, mon ange. Je t'en prie... ne t'accroche pas à la forme. Elle t'a servie, elle ne te sert plus. Tu verras, ça ne fait pas mal. Tu sentiras ton âme se glisser en dehors de ton corps, comme ta main qui sort doucement d'un gant. Tu verras comme c'est beau, comme c'est bon de rentrer chez Soi. J'y suis allé, maman et je suis revenu pour te le dire. C'est beau la mort... c'est plein de lumière. Allez, repose-toi maintenant. Je t'aiderai à traverser... quand tu seras prête. Je serai toujours là pour toi, mon Ange !

Au-delà de tous les accompagnements qu'il avait faits dans sa vie, celui de Mathilde était le plus douloureux. Même s'il connaissait le monde spirituel qui l'attendait, même s'il savait que la mort n'existe pas, l'homme vivait en chair et en os, à travers ses sentiments profonds et ses émotions bien légitimes, le départ d'une grande dame,

celle qui lui avait sauvé la vie par son amour pur et inconditionnel. Sans elle, le petit Roi n'aurait pu retrouver
son chemin et son parcours aurait pu ressembler à celui
de Tommy. Sans elle, il n'aurait pu fonder cette famille
et accomplir sa mission. Sans elle, la musique n'aurait
pu se frayer un chemin à travers lui et offrir sa guérison
à tous ceux qui en profiteraient. Mathilde lui avait tout
appris, mais surtout, elle avait toujours cru en lui. Elle
avait vu, depuis le premier jour, les diamants briller dans
ses yeux.

Mathilde, se dit-il... grande Mathilde !

Ce soir-là, un torrent de lumières déferla dans l'esprit du musicien. Joshua entendit clairement la pièce en entier dans sa tête et il se dit qu'il pourrait sans
problème l'écrire le lendemain.

L'inspiration lui vint cependant au compte-gouttes
au cours des jours suivants. Les notes qu'il déposait sur
le papier souvent ne résonnaient pas comme il les avait
entendues. De plus, de la naissance d'Ariane, jusqu'à
la fin imminente de Mathilde, tout se bousculait, tout
allait très vite et le compositeur trouvait difficilement le
temps de compléter son œuvre.

C'est alors qu'une autre mélodie se glissa doucement à l'oreille de Joshua. Le compositeur s'enferma
immédiatement chez lui pour ne pas revivre la panne
d'inspiration qui retardait la sortie de « Torrent de Lumières ». Il écrivit d'un trait en une soirée une musique

qui accompagnait la danse de la naissance et de la mort. Il l'intitula : « Une lumière est née ».

Au moment même où il éteignait son clavier, la suite de « Torrent de Lumières » se manifesta à son esprit sous la forme de notes parfaitement alignées sur deux portées. Un peu contrarié du moment inopportun de cette inspiration, Joshua comprit quand même qu'il ne pouvait pas laisser passer cette deuxième chance. Il se remit au travail.

Il était très tard au milieu de la nuit quand il mit un point d'orgue final sur le dernier accord de sa création...

Les Guides de la **compassion** et de la **générosité** soutenaient solidement Laurie, la mère qui avait donné naissance à sa fille et Joshua, le fils accompagnant sa mère dans la mort. Ces deux œuvres musicales illuminaient le Pont de Cristal, dans les deux sens.

Lumière sur le Pont de Cristal

L'état de Mathilde dégénéra rapidement après l'incident du voleur imaginaire. Comme il l'avait promis, Philippe prit soin d'engager un personnel de soutien à domicile pour l'accompagner jusqu'au bout.

De son côté, Joshua allait être le passeur d'âme de la femme qui avait recollé ses ailes cassées et qui l'avait relancé dans le ciel. Aujourd'hui, il venait souffler à son tour le vent de l'amour qui propulserait la blanche colombe dans la lumière.

La fin approchait. Dans ses derniers moments de lucidité, Mathilde avait manifesté le désir d'être entourée de Philippe, Joshua, Émilie, William, Laurie et Éloïse. Elle avait pris soin de mentionner : « ...et tous les petits anges qui rejoindront notre lignée et dont je n'aurai pas eu connaissance de l'arrivée. » La petite Ariane alors âgée de 9 mois avait déposé une rose blanche sur le ventre de Mathilde inconsciente. Symbole du relais des âmes, la rose scellait le pacte.

Chacun avait eu un moment seul à seul avec la grande dame. Ses petits-enfants vivaient la perte d'un être cher pour la première fois de leur vie. William, ce beau jeune homme rayonnant de confiance, attendait à son tour son premier enfant. Sa nature de battant et de protecteur ferait de lui un papa merveilleux. Héritier du talent musical de son père, William maîtrisait bien le violon, même s'il n'avait pas choisi d'en faire une carrière. Les affaires l'avaient davantage attiré et il excellait déjà dans l'art de gérer sa propre entreprise. Là où ça se corsait pour le guerrier pacifique, c'était devant les situations chargées d'émotion. Willie avait toujours détesté les adieux et il appréhendait ce moment-là. Lorsque son père sortit de la chambre, tenant la porte d'une main et lui faisant signe d'y entrer de l'autre, le petit soldat avait l'impression que ses jambes ne répondaient plus aux commandes. Le teint livide, il regardait Joshua l'air de dire : « il faut vraiment que j'y aille ? » D'un léger signe de tête, il lui répondit : « tu es capable, mon garçon ». Se grattant la nuque, il prit une longue respiration, leva les yeux vers le ciel et se glissa à l'intérieur.

Mathilde reposait paisiblement. N'eut été de la chaleur de son corps, on aurait cru qu'elle l'avait déjà quitté. Philippe avait pris soin de la coiffer soigneusement, en ramenant ses longs cheveux blanc sur son épaule droite. William n'avait jamais vu les cheveux dénoués de sa grand-mère. Il trouvait qu'elle ressemblait à une fée. La fée des cœurs... se dit-il. À cette pensée, sa poitrine se gonfla de larmes, menaçant de briser son armure. Il toussa, se pinça le nez et s'essuya la bouche, comme pour laisser sortir les mots. Ses derniers mots à sa grand-maman adorée... comment faire ? Il ne trouvait rien à dire. Promenant son regard partout dans la chambre, voilà que ses yeux tombèrent sur la photo fétiche de la famille. Mathilde devait avoir 50 ans. De chaque côté d'elle, William et Laurie riaient à fendre l'air salin. C'était sur le gros bateau, vingt ans plus tôt. Le petit soldat s'effondra. Il posa sa tête aux côtés de la rose blanche et pleura tout son saoul.

Lorsque son cœur fut soulagé, il se leva et déposa un long baiser sur le front de Mathilde. « Continue de nous protéger, grand-mère... et repose-toi en même temps. Ok ? Je t'aime. Merci de tout cœur. Vas-y grand-maman... comme tu m'as toujours dit ... t'es capable. Adieu ! » Il embrassa sa main tiède et molle et sortit en gardant la porte entrouverte pour Laurie.

Joshua tenait Émilie dans ses bras. Les parents contemplaient le courage et l'amour de leurs enfants défilant devant la mourante. Quoique difficile, ce moment était rempli de grâces et de bénédictions. Dans l'esprit de Joshua, une musique jouait sans cesse. Les Anges de la traversée lui inspiraient déjà l'air qui emporterait Mathilde sur le Pont de Cristal.

Contrairement à son frère, Laurie avait hâte à son tour. Elle avait apporté une petite boîte musicale que sa grand-maman lui avait offerte pour ses 3 ans. Un manège magique faisant tournoyer des lumières multicolores qui jouaient la berceuse de Brahms. Laurie s'assit auprès du lit, remonta la boîte à musique et la déposa sur la poitrine de Mathilde. Aussi loin que Laurie pouvait remonter dans ses souvenirs, elle entendait Mathilde lui chanter cette berceuse pour l'endormir. C'était maintenant à son tour, afin de l'aider à se laisser aller aux pays de la tendresse et de l'amour. De sa voix magnifique, elle chanta doucement :

> *Parle-moi... parle-moi... j'ai besoin de tendresse*
> *Mal du siècle, de toujours, mal d'amitié, mal d'amour*
> *M'en veux pas, ne ris pas, je suis femme et enfant*
> *Parle-moi...parle-moi... dis les mots que j'attends.*[1]

Quelques minutes avant sa naissance, alors qu'elle était en route pour la terre, l'âme de Laurie avait envoyé une lettre à Mathilde qui l'avait canalisée.

> « *Ma petite mémé d'amour,*
>
> *C'est moi ta petite Laurie. Je viens sur la terre avec une belle mission et je suis toute équipée pour l'accomplir. Je suis une petite fille joyeuse et pleine de talents. Je serai ta relève... ne t'en fais pas, je t'aiderai à mourir comme tu m'aides à naître...* »

---

[1] • J. Brahms - Arrgt Sakel / P. Delanoë / C. Lemesle

Le moment était venu pour Laurie de bercer le cœur de Mathilde afin qu'il puisse, sans crainte, cesser de battre. Elle s'était glissée sous les couvertures et elle avait enveloppé le frêle visage de sa grand-maman de la chaleur de ses mains si douces. Elle la regarda longuement en souriant. « Je sais que tu ne t'en vas pas, grand-maman d'amour. Je sais que nous n'avons jamais été séparées toi et moi. Je suis heureuse que tu te dépouilles de ton enveloppe usée. Monte maintenant belle Mathilde... monte dans ton corps de Lumière. Je te promets de jouer toute ma vie, de ne jamais me prendre au sérieux et de répandre ta joie. Tu me manqueras, c'est sûr... mais dans mon cœur, tu vivras éternellement. Merci pour mon talent d'écrivain, cet héritage que je préserverai précieusement. Je te promets que j'écrirai des livres qui feront du bien aux gens, des livres pour répandre tout cet amour que tu nous as donné. Merci grand-maman. Vas... on t'attend là bas ! » De grosses larmes coulaient librement le long de son cou et jusque sur les mains de sa grand-mère. De ses larmes, elle massa ces bras qui avaient donné tant d'amour. Elle l'embrassa sur le front et souffla doucement à son oreille : « Je t'aime ».

Lorsqu'elle sortit pour laisser entrer Éloïse, la petite pleurait déjà dans les bras de son père.

— Je ne suis pas capable papa, tu comprends ? J'ai peur d'être seule avec elle et qu'elle meure devant moi... je sais que je suis ridicule, mais...

— Tu n'es pas ridicule, mon ange. Tu as le droit et surtout le devoir de dire comment tu te sens. Grand-maman va très bien te comprendre et elle sait déjà à quel point tu es sensible et combien tu l'aimes. Tu n'es pas obligée d'y aller mon amour, mais si tu veux, je peux t'accompagner.

Elle réfléchit.

— Maman, tu veux aussi venir avec moi ?

Doucement, Émilie et Joshua entrèrent dans la chambre avec Éloïse. La jeune fille n'avait pas connu Mathilde lors de ses meilleurs jours. Elle n'avait que 2 ans lorsque sa grand-mère commença à démontrer des signes d'incohérence. Malgré la maladie, Mathilde avait réussi à tisser des liens de tendresse et d'amour avec sa petite-fille. Éloïse était l'héritière principale des talents musicaux de son père. Sa grâce et sa beauté s'alliaient parfaitement à son talent de violoncelliste. Sa grand-maman l'avait fortement encouragée à poursuivre ses études au conservatoire.

Éloïse avait figé devant le corps inerte et maigre de Mathilde. Son caractère ressemblait à celui d'Émilie, qui avait vite fait de ressentir le malaise de sa fille. Elle prit aussitôt ses mains glacées dans les siennes et lui dit doucement :

— Elle est bien grand-maman, mon ange. Elle ne souffre pas et les Anges sont en train de préparer son arrivée de l'autre côté. Je comprends comment tu te sens, ma puce. Tu veux sortir ?

Dans cet espace de liberté, la petite se sentait déjà mieux.

— Est-ce qu'elle respire encore ? On dirait qu'elle est morte !

Joshua se pencha doucement pour entendre le faible souffle de vie qui circulait encore.

— Oui, elle respire encore... mais c'est de plus en plus faible. N'aies pas peur ma chérie... tout se fera en douceur.

Émilie s'approcha de sa belle-mère et s'adressa à l'amie qu'elle était aussi pour elle. Dans les bras de son père, Éloïse écoutait timidement les confidences de sa mère.

— Belle Mathilde, si tu savais comme tu vas nous manquer. Je garderai de toi le plus doux des souvenirs. J'ai connu la meilleure belle-maman du monde qui, en plus, est devenue une grande amie. *Elle lui caressa le front.* Tu es grande Mathilde et on t'aime tant. Moi, je veux te dire un merci grand comme la mer, pour avoir donné autant d'amour à ton fils, Joshua, qui maintenant le transmet à nos enfants. Ils en feront autant et ainsi ta Lumière se répandra jusqu'à la fin des temps. Je t'admire et je marche dans ton sillon. Tu es un mon mentor, tu sais. Veille sur nous. Lorsque tu verras la lampe de notre foi faiblir, souffle sur la braise pour la réanimer. Fais-nous des petits signes coquins. Je sais que tu en es capable. Merci pour tout... je t'aime.

Elle remonta ses couvertures et déposa la rose blanche d'Ariane sur son cœur.

Sans le savoir, elle avait démythifié pour sa fille une partie de l'accompagnement au mourant. Éloïse avait repris des couleurs. Le seul geste qu'elle fut capable de poser, en signe d'adieu, fut d'envoyer un baiser de la main et de dire : « Bye, bye... bon voyage grand-maman. Je t'aime ».

Au cours des derniers jours, Philippe avait tout dit à sa bien-aimée. Depuis longtemps, Joshua lui avait aussi fait ses adieux. Ils se trouvaient de chaque côté d'elle lorsque la lumière était venue la cueillir. En douceur comme elle avait vécu, légère elle s'envola !

Sur la table de chevet, sous le lampion allumé depuis 3 jours, gisait le message de Joshua :

« *Le Pont de Cristal* »

Sur le chemin de ta vie, il te sera donné des ponts à traverser : pont de bois, pont couvert, pont d'acier et de béton, pont de Lumière et celui de la grande traversée, « Le Pont de Cristal », fragile, transparent, lumineux. Il s'agit du pont qu'emprunte l'âme dépouillée du corps physique

et de toutes attaches terrestres pour rentrer Chez Elle.
Ceux que tu laisseras derrière toi tenteront peut-être de
te retenir... Pardonne-leur, c'est qu'ils ne connaissent pas
la joie de l'Esprit vers son retour à la Source. Si tu le
peux, avant de partir, dis-leur que tu les attendras dans
la Lumière, de l'autre côté du Pont de Cristal.[1]

Après avoir couvert le corps de la défunte d'un drap blanc, Joshua se retira au salon, s'installa au piano et d'un seul jet, donna naissance à cette musique d'adieu. Autour du lit de Mathilde, une chaîne humaine se balançait au son de la mélodie que Joshua intitula : « Lumière sur le Pont de Cristal. »

La source lumineuse de cette inspiration musicale était celle du 12ᵉ Guide du petit livre de Joshua... celui qui les rassemblait tous dans une paix profonde au coeur de l'***Amour*** !

Au lendemain de sa mort, Philippe avait dû prendre son courage à deux mains pour ouvrir la lettre qui l'attendait dans le journal de Mathilde. Au tout début de sa maladie, elle lui avait demandé de la lire 24 heures après son départ. Cette lettre d'amour resterait à jamais imprégnée dans son cœur. Ce matin là, à 5h14, l'heure exacte de son décès, il était descendu sur la plage et sur le rocher de leurs amours, il avait ouvert fébrilement l'enveloppe qu'elle avait précieusement cachetée d'un papillon bleu.

---

1 • (Les Messages de Joshua – carte no. 1, éditions Marjolaine Caron)

Mon bel amour,
   Cher Philippe

Au moment où tu liras cette lettre, je serai déjà parmi les étoiles à veiller sur toi. Tu auras fermé mes yeux restés ouverts pour essayer de te voir plus longtemps et dans ma bouche, tu auras insufflé la lumière de ton amour pour que je l'emporte avec moi au paradis. Je t'écris ce soir, après notre conversation ici-même sur la plage. Tu te souviens ? Je ne sais pas combien de jours et de nuits il nous reste à vivre ensemble. Je ne sais pas non plus si tu liras cette lettre un jour, car peut-être m'attendras-tu là-haut lorsque je partirai. Qui sait ? Peu importe. Ce qui compte pour moi, c'est de t'écrire mon amour. Écrire sur ton cœur, toute la gratitude que j'ai envers la vie pour t'avoir placé sur mon chemin à l'aube de mes 40 ans.

J'ai longtemps regretté que tu sois arrivé si tard dans ma vie. Aujourd'hui, je sais que tu es arrivé à l'heure juste, au moment où la femme en moi était disponible et prête à recevoir tout cet amour. Tu es venu vers moi les bras chargés de cadeaux. Tu m'as regardé avec les yeux de l'Amour et tu n'as vu en moi que ce qu'il y a beau et de grand. Avec toi, je me sens comme une Reine. J'ai le sentiment d'être la meilleure en tout, même à travers la maladie. Tu as su faire briller les diamants dans mes yeux et faire vibrer mon âme. Je me suis abandonnée à cet amour qui continue de grandir encore aujourd'hui, après toutes ces années.

*Malheureusement, mon esprit commence déjà à se dé-
tériorer. Je retourne à la source en étant dépouillée petit à petit de mes facultés intellectuelles. Mon cerveau
m'abandonne, ma tête me laisse tomber. Jour après jour,
j'oublierai qui je suis, qui tu es. Je marcherai dans le
couloir de la mort sans ressentir ni la peur, ni les regrets,
puisque j'oublierai que je vis. Y paraît que j'oublierai
même de respirer !*

*Pendant ce temps, mon bel amour, tu devras penser pour
moi, me laver, m'habiller, me coiffer et quoi d'autre ?
Jusqu'où ça ira ? Courageusement nous vivrons ce long
voyage vers la sortie, ensemble. Je ne forcerai pas la
porte, car je veux m'y rendre par le chemin naturel, même
s'il est cahoteux.*

*Je sais que tu m'accompagneras avec douceur et courage,
en m'enveloppant du même respect que tu me témoignes
depuis le premier jour. Tu sais aussi que j'aurais fait de
même pour toi... tu le sais, n'est-ce pas ? Il me faudra faire
preuve d'une grande humilité, même si j'aurai l'air de ne
pas être là. Toi, tu le sais, que, derrière mes yeux vitreux,
mon âme te regardera avec toute sa reconnaissance. Tu le
sais, toi, Philippe, que je m'élèverai un peu plus près de la
lumière, à chaque mot, à chaque geste, à chaque intention
que tu porteras envers mon corps pour l'aider à suivre les
battements de mon cœur.*

*Maintenant que je suis sortie de mon enveloppe, mainte-
nant que tu t'apprêtes à lancer mes cendres dans les bras
de notre mer gaspésienne, je veux te dire un merci grand*

*comme cet océan, pour tant d'amour, pour tout cet amour
que tu continues de partager avec les miens... comme s'ils
étaient ta propre famille.*

*À mon tour, laisse-moi te soutenir, te soigner, te bercer de
ma lumière. Je suis avec toi ici, maintenant. Je vole, je
vis, je t'aime pour l'éternité.*

*Tout est parfait dans le Grand Plan !
Sois heureux, je t'attendrai... et tu n'arriveras jamais en
retard.
Le temps n'existe pas. C'est une invention de l'homme
pour mesurer le présent et concocter une recette de bonheur. Pourtant, il est infini....*

Infini... comme l'amour que j'ai pour toi.

Pour toujours,

Ta Mathilde

Aux funérailles de Mathilde, William, Laurie et
Éloïse formèrent un trio à cordes et interprétèrent,
avec une sobriété émouvante, la composition de Joshua.
Au-delà des mots, la musique de Joshua rendait à l'âme
de Mathilde son plus grand hommage. Rien ne pouvait
mieux décrire son amour et sa gratitude envers cette
grande dame que la voix de cette mélodie jouée par ses
enfants. On croyait entendre des anges voler dans la
petite chapelle où Philippe et Mathilde avaient uni leurs
vies trente et un ans plus tôt.

En ce matin du 15 septembre, un grand voilier glissait sur la mer calme. Le soleil se levait doucement et la brise poussait gentiment le navire au large. Ils étaient tous là : Philippe, Joshua, Émilie, Laurie Mathieu et Ariane, William et Valérie, Éloïse, Michelle et Charles, Sébastien, Julie et ses enfants, Sylvia. La mer transportait dans un silence sacré les êtres les plus chers au cœur de Mathilde. Philippe tenait solennellement entre ses mains l'urne de sa bien-aimée sur laquelle était peinte à la main une colombe dorée sur un fond ivoire.

Une fois l'ancre jeté, Joshua rassembla tout le monde sur le pont. A la tête de la chaîne humaine, il tenait fermement l'urne au-dessus de la mer. Ariane, dans les bras de Laurie, fermait le cercle. La petite jubilait à la vue de la colombe dorée sur le vase sacré. Joshua ouvrit l'urne, versa un peu de cendre dans le couvercle, l'approcha du visage de l'enfant qui instinctivement souffla les premières cendres dans les rayons du soleil.

Joshua tendit l'urne à Philippe qui, serein, dans le respect et la noblesse, acheva le rituel.

Sur les ailes de l'**Amour**, transparente, légère et lumineuse... Mathilde traversa le Pont de Cristal.

De l'autre côté, ils étaient tous là...

Table des matières

Remerciements 7

Introduction 11

CINQUIÈME CYCLE

La renaissance 13

Chapitre un :   Le retour 15

Chapitre deux :   Une révélation libératrice 25

Chapitre trios :   La tempête 37

Chapitre quatre : Le départ 45

Chapitre cinq :   Chamane 55

Chapitre six :   Une lettre à la vie 63

SIXIÈME CYCLE

La symphonie des anges 81

Chapitre sept :   Lumière pour Émilie 83
                      Musique : Lumière pour Émilie

Chapitre huit :   Du crépuscule à la Lumière 99
                      Musique : Du Crépuscule à La lumière

Chapitre neuf :   Ave Maria 115
                    Musique : Aurore
                            Lumière de l'aube
                            Ombre
                            Ave Maria

Chapitre dix :   Lumière sur notre amour 127
                    Musique : Lumière sur notre amour

Chapitre onze :   Au Jardin des Enfants de Lumières 139
                    Musique : Enfants de Lumière
                            Lumière sur la sortie

Chapitre douze :   Une lumière est née 161
                    Musique : Torrent de Lumière
                            Une lumière est née

Épilogue :   Lumière sur le Pont de Cristal 181
                    Musique : Lumière sur le Pont de Cristal